HANS URS VON BALTHASAR
PRÜFET ALLES, DAS GUTE BEHALTET

NEUE KRITERIEN 3

HANS URS VON BALTHASAR

Prüfet alles
das Gute behaltet

Ein Gespräch mit Angelo Scola

JOHANNES

1986 erschienen beim Schwabenverlag, Ostfildern,
nach der italienischen Fassung in:
Henri de Lubac, Viaggio nel Concilio –
Hans Urs von Balthasar, Viaggio nel Postconcilio
Supplementi Trenta Giorni, EDIT Editoriale Italiana,
Roma, 1985

Neuausgabe 2001
© Johannes Verlag Einsiedeln, Freiburg i.Br.
Alle Rechte vorbehalten
Druck: Offizin. Chr. Scheufele, Stuttgart
ISBN 3 89411 366 9

Inhalt

Ein Vorwort

Von einem guten Freund – und Don Angelo Scola ist ein solcher – interviewt zu werden, ist zugleich Freude und Qual. Freude, unmittelbar sich vom Herzen zu sprechen, was einen im letzten bewegt, Qual, es in einer so kurzen und deshalb notwendig mißverständlichen Weise tun zu müssen. Bei jeder Frage möchte man verweilen, nachdenken, nuancieren, möchte alles viel komplexer formulieren, als es im Gesagten erscheint, aber die Zeit drängt, und schon wird man wieder vor ein ganz anderes Problem gestellt. Nun, möglicherweise ergibt sich aus einem solch bunten Mosaik doch unverhofft so etwas wie ein Bild – hoffentlich nicht nur ein subjektives des Redenden, sondern durch die Vielfalt seiner geäußerten Meinungen hindurch ein gewisses objektives Bild von der Kirchenstunde, in der wir stehen. Vieles, was hart scheinen wird, mußte gesagt werden, man verzeihe es mir und schreibe es, wenn man will, meiner Kurzsichtigkeit zu. Oder meinem Alter oder meiner Rückständigkeit, die für Neues und Neuestes keinen Gusto mehr hat. Oder auch meiner Liebe zu einer Kirche, die zweitausend Jahre lang gedauert hat und immer lebendig war, also nicht plötzlich als *»postkonziliare«* Kirche in die Wiege gelegt worden ist. Das könnte der wahre Grund sein, daß einiges hart klingen wird: man mißt es, wenn man ein wenig die Geschichte der apostolischen und heiligen Kirche kennt, an ihrer Größe, und es erscheint dann in einem für die Katholizität allzu dürftigen Format. Man setzt sich mit solchen Urteilen, wie mein verehrter Freund Kardinal Ratzinger, dem Verdikt aus, man sei »vorkonziliar« (als ob es so etwas gäbe), man sei pessimistisch (was Ratzinger ganz gewiß nicht ist, er ist nur Realist). Aber auch ich bin alles andere als pessimistisch, denn eine von außen und innen angefochtene Kirche zeigt eben dadurch, daß sie eine für die gottlose Welt unerträgliche Lebendigkeit besitzt, und ich nehme, mitten im Schlachtgewühl der Gegenwart, diese Lebendigkeit, ja dieses heute neu aufsprießende Leben sehr deutlich wahr. An Stellen vielleicht, wo zunächst keiner es vermutet, und wo es sich schließlich so durchsetzt, daß auch eine selbstsichere (und damit leider schon »rückständige«) sich als maßgebend gebärdende Mentalität nicht umhin kann, es anzuerkennen. Wobei ihm die amtliche Kirche freilich auch – wo sich, nach Goethes Wort, der junge Most oft absurd gebärdet – eine kirchlich tragbare Form geben muß.

So wäge denn der geneigte Leser, was hier dahergesprochen ist, nicht mit der Goldwaage, er nehme sich vielmehr aus dem ungeordneten Haufen, falls er eines findet, ein Goldkorn heraus.

Er bedenke schließlich, daß die gestellten Fragen aus italienischer Perspektive stammen und die besonderen Interessen der dortigen Kirche widerspiegeln.

KIRCHE IN DER HEUTIGEN WELT

Angelo Scola: Sie haben 1952 ein Buch mit dem Titel »Schleifung der Bastionen« verfaßt. Sie sprachen darin von einer Kirche, die Gefahr lief, sich als eine verschanzte Festung zu verstehen. Woher kam Ihnen die Lust, der Kirche vorzuschlagen, ihre Bastionen zu schleifen?

Hans Urs von Balthasar: Sie kam mir aus der Erkenntnis, daß Jesus die Kirche als eine wesentlich missionarische gewollt hat, also als eine Gemeinschaft mit zentrifugaler Bewegung, kein in sich selbst geschlossenes Volk. Hier liegt der große Unterschied zu Israel, das ein in sich stehendes, nicht missionarisches, sondern zentripetales Volk ist, mehr noch als andere irdische Völker. Für Israel ist die Heilsbewegung die Sammlung der Zerstreuten, in der Ferne Verbannten im heiligen, angestammten Land. Die Kirche dagegen lebt von der Sendung am Ende des Mattäusevangeliums: »Hinaus mit euch in alle Welt, zu allen Völkern!« Das sagt nichts gegen ihren Mysteriencharakter, gegen das eucharistische Geheimnis in ihrer Mitte. Aber dieses kann überall gefeiert werden, in der kleinsten Neger- oder Eskimohütte, und überall, wo es begangen wird, ist heiliges Land. Es gibt Stellen bei den Kirchenvätern, die sich sehr darüber freuen, daß es kein anderes heiliges Land mehr gibt als die Welt im ganzen, weil Jesus, der Auferstandene, überall ist. Dieser Offenheit der Kirche mitsamt ihrem Mysterium steht das Errichten von irdischen »Bastionen« entgegen und macht die apostolische Bewegung der Kirche unglaubhaft für Leute, die den Widerspruch wahrnehmen.

Vielleicht muß ich, um diese Perspektiven der fünfziger Jahre etwas zu verdeutlichen, einen Augenblick in meine Vergangenheit zurückblenden. Die alte Luzerner Familie, in der ich geboren wurde, hatte zwar manche liberalen Vorfahren (einer geriet sogar auf den Index), aber meine Eltern waren so selbstverständlich katholisch, als ob es auf der Welt nichts anderes, nichts Vernünftigeres gäbe. (Und ich muß gestehen, daß für mich diese Selbstverständlichkeit nie in Frage gestellt worden ist). Die gleiche beruhigt katholische Welt herrschte in den Kollegien, in denen ich studierte, in Engelberg bei den Benediktinern während des 1. Weltkriegs, von dem wir Schüler außer dem schlechten Essen kaum etwas merkten, dann bei den Jesuiten in Feldkirch, wo ich mit meinen Freunden viel Schöngeistiges trieb. Das setzte sich in meinen Universitätsjahren fort – Zürich, Wien besonders und lange, ein Semester Berlin –, wo ich nun intensiv mit anderen Weltanschauungen in Berührung kam. In Wien faszinierte mich einerseits Plotin, andererseits waren Kontakte mit psychologischen, auch freudianischen Kreisen unumgänglich, der zerrissene Pantheismus Mahlers rührte mich tief an, Nietzsche, Hofmannsthal, George traten ins Gesichtsfeld, die Weltuntergangsstimmung des Karl Kraus, die offensichtliche Korruption einer zur Neige gehenden Kultur. Da ich Germanistik studierte, suchte ich diese tausend Phänomene zuerst in einer (ganz unzureichenden) Dissertation vom Christlichen her zu durchleuchten (*»Geschichte des eschatologischen Problems in der deutschen Literatur«*), woraus sich später, nach meinem Eintritt in den Jesuitenorden, mein erstes Werk herauskristallisierte: *»Apokalypse der deutschen Seele«*, worin versucht wird, die großen deutschen Dichter und Philosophen (von Lessing, Herder, Kant, Goethe, Schiller, den idealistischen Philosophen, zur zentralen Gestalt Nietzsches, flankiert von Kierkegaard und von Dostojewskij, über die Lebensphilosophen bis hin zu Scheler, Karl Barth und Bloch) auf die letzte Haltung ihres Herzens hin abzuhorchen – daher das Wort Apokalypse.

Ich war unterdessen in den Jesuitenorden eingetreten. In der Philosophie war Erich Przywara ein ausgezeichneter und unerbittlicher Mentor; er zwang einen, die Schulphilosophie in Gelassenheit zu lernen und darüber hinaus sich (wie er es tat) mit allem Modernen zu befassen, Augustin und Thomas mit Hegel, mit Scheler, mit Heidegger zu konfrontieren. Später, als ich in Lyon in die Theologie kam, begegnete man einem neuen Dualismus: in den Vorlesungen war von einer »nouvelle théologie« überhaupt keine Rede (ich wundere mich noch heute, daß für dieses arme Fourvière ein solcher Mythos erfunden werden konnte!), aber zum Glück und zum Trost wohnte Henri de Lubac im Haus, der uns über den Schulstoff hinaus auf die Kirchenväter verwies und uns allen seine eigenen Aufzeichnungen und Exzerpte großherzig auslieh. So kam es, daß ich, während die andern Fußball spielen gingen, mit Daniélou, Bouillard und ein paar wenigen andern (Fessard war schon nicht mehr da) hinter Origenes, Gregor von Nyssa und Maximus saß und auch je ein Buch über diese verfaßte. In den Ferien fuhr ich nach München, um ein Kapitel an meinem deutschen Werk zu schreiben: einmal war es Jean Paul, einmal Hegel usf. Ich füge noch hinzu, daß die Lyoner Jahre auch die Zeit waren, da ich die großen französischen Dichter entdeckte; Claudel, Péguy und Bernanos sind mir unentbehrliche Lebensgefährten geworden, den »Seidenschuh« habe ich mindestens fünfmal übersetzt, bis er seine deutsche Endgestalt fand (er wurde in Zürich zum erstenmal deutsch aufgeführt, noch ehe die Pariser Uraufführung stattfand). Über Bernanos' Christentum schrieb ich ein dickes Buch, von Péguy übersetzte ich, was übersetzbar war: leider sind »Eve« und die »Tapisseries« es nicht, aber Corneilles Polyeucte, den Péguy als höchstes Kunstwerk der französischen Literatur erachtet, beschreibt genau die Begegnung von Christentum und Kultur, wie sie ihm und auch mir bleibend vorschwebte.

Zuletzt, nach der Priesterweihe, stellte mich der Provinzial vor die Wahl: Dozent an der Gregoriana oder Studentenseelsorger. Ich wählte das zweite, kam Anfang 1940 nach Basel, wo ich Karl Barth und Adrienne von Speyr kennenlernte (Jaspers nur bei seltenen Besuchen) – aber davon will ich einstweilen nicht reden, sondern von der durch meine Wanderungen und die großen Männer, die ich kennenlernen durfte, mitgeprägte

Überzeugung, daß die katholische Kirche, um der modernen Welt ihr Bestes mitteilen zu können, ihr nicht als Fremde und Feindin begegnen, sie vielmehr »unterwandern« sollte, um das in den neuen Systemen Gültige zu assimilieren; nicht äußerlich, sondern eigentlich so, daß sie durch all dies Neue an Schätze erinnert wird, die in ihr selber lagen, die sie aber entweder vergessen oder noch gar nicht entdeckt hat.

Das ist, kurz zusammengerafft, die Vorgeschichte von »*Schleifung der Bastionen*«, wonach Sie gefragt haben, und zu dessen Inhalt ich heute noch voll stehe, obschon manches darin vom Zweiten Vaticanum (natürlich ohne Rücksicht auf mich) übernommen und vertieft gelehrt wurde.

Angelo Scola: Wie war das kulturelle Klima während Ihrer Studienzeit?

Hans Urs von Balthasar: Ich gestehe, daß wir, in Studien versunken, wenig Zeit hatten, Zeitungen zu lesen und uns mit Politik zu befassen. Lyon lag, von Fourvière aus gesehen, weit unten, oft genug im Nebel. Selten gab es Unterbrechungen. Einige Male kam Teilhard de Chardin vorbei, und ein paar Auserwählte durften sich um ihn versammeln, während er von China und seinem Werk erzählte. Eine wunderbare Begegnung mit Claudel in der Stadt bleibt mir in Erinnerung; er saß in der Mitte eines Kreises von Bewunderern und strahlte förmlich wie eine Sonne Güte und Weisheit aus, auf jede törichte Frage hatte er eine blitzend gescheite, aufbauende Antwort. Aber Henri de Lubac, der am Institut Catholique und leider nicht bei uns dozierte, blieb der große Anreger: sein »*Catholicisme*«, seit Jahren vorbereitet, war doch der erste eigentliche Durchbruch in eine befreitere Schau der Kirche. Ich erinnere mich mit einigem Entsetzen, daß bei einem Geburtstagsfest P. Congars der Festredner ihm dies hinwarf: So wichtig Ihr Werk sein mag, nicht das Ihre, sondern das de Lubacs hat den entscheidenden Durchbruch erwirkt. Lubacs Buch war ein Cento aus unbekannten Stellen der Väter und der großen Theologie der Heiligen – eigentlich älteste Theologie, die nur gewissen Veralteten als »nouvelle théologie« erscheinen konnte. Und was sein »*Surnaturel*« angeht, für das er Jahrzehnte in den Caves du Vatican schmachten mußte, so war es auch nichts anderes als die schlichte Neuentdeckung eines wichtigsten Aspekts von Augustin und Thomas, was damals für die berühmtesten Theologieprofessoren eine geradezu häretische Neuerung war und es für gewisse Kardinäle bis zum heutigen Tag noch ist, obschon heute de Lubacs angebliche Neuerungen für jedermann das Selbstverständliche geworden sind, und von manchen auf eine ganz andere und von ihm keineswegs beabsichtigte Art mißbraucht werden. Aber wenn wir schon von ihm reden, so möchte ich auf zwei andere Aspekte seines Werkes aufmerksam machen, die heute in einer ungeahnten Weise neu aktuell geworden sind: einmal auf seine von innerstem Verständnis getragene Analyse und Kritik des Buddhismus, gerade auch des Amidabuddhismus, der gewisse Ähnlichkeiten

mit dem Christentum der Gnade und des Gebets auf-
zuweisen scheint, und dessen Differenz von der Nachfolge Christi er in aller Klarheit aufgewiesen hat, während heute eine große Menge Christen sich dem Zen
ergeben, ohne auch nur die elementarsten Unterschiede
mehr zu sehen; auf der andern Seite seine unerbittliche
Entlarvung des atheistischen Positivismus Comtes und
seiner Antikirche im »*Drame de l'Humanisme athée*«,
während heute die ganze westliche Kultur ebenso in
diesen atheistischen Positivismus (der sogenannten
sciences humaines) hineinschlittert, wie der Osten dem
marxistischen Pendant des gleichen angeblich humanen
Positivismus verfallen ist.

*Angelo Scola: Zur Zeit, da Sie in Fourvière studierten,
war die Kirche eine wohlgeordnete Gesellschaft. Ich denke
an die Ordnung der Pfarreien, der großen religiösen Orden,
der durchorganisierten Katholischen Aktion. Alle diese Strukturen waren Hilfen für die Mission der Kirche in der Welt.*

Hans Urs von Balthasar: Gewiß, Strukturen gab es
genug und wahrscheinlich zu viele, wenigstens wenn
man sie mit der innern Lebendigkeit vergleicht, die sie
hätte beseelen müssen. Wieviel Lebendigkeit die dama-
ligen Pfarreien und hinter ihnen die Priesterseminarien
hatten, das zu beurteilen fehlt mir die Erfahrung. Die
religiösen Orden? In Fourvière gab es ausgezeichnete
ältere Jesuiten, und ich kannte deren viele auch anderswo in Frankreich und in andern Ländern. Aber ich
habe mich immer gewundert, als ich nach meinem

Weggang von Lyon erfuhr, mit welcher Geschwindigkeit die innere Ordnung gerade unter den Scholastikern sich aufgelöst hatte, mit welcher Sorglosigkeit die besten Traditionen des Ordens in wachsendem Maße verlassen und durch angebliche Modernitäten ersetzt wurden, so daß der verstorbene Kardinal Daniélou, unterdessen auch als Reaktionär abgestempelt, jungen Leuten abriet, in seinen Orden einzutreten. In anderen Orden war der innere Zusammenbruch mindestens ehenso sichtbar, und man wird zu Unrecht die Schuld dafür auf das Postkonzil schieben. Dort brachen manche Krankheitssymptome offen aus, die wohl schon lange vorher im Organismus gesteckt hatten. Aber ich möchte hier nicht undifferenziert verallgemeinern und zum Beispiel den ganzen Aufbau der Katholischen Aktion als eine äußerliche Maschinerie hinstellen. Das war sie ganz gewiß, wenigstens in Frankreich, nicht. Doch lebendige Organismen können verholzen und versteinern, so sehr, daß es später nicht ratsam scheint, ihnen neues Leben einflößen zu wollen. Um allgemein zu reden: die Schuld liegt meist nicht an den Strukturen als solchen, sondern an dem Mangel an echtem Geist, der sie beseelen sollte. Struktur und Organismus sind zweierlei. Und bloße Struktur ohne inneres Leben ist schon Weltlichkeit; als dann die Parole des Konzils für »Öffnung der Kirche zur Welt« erklang, konnte man sogar guten Glaubens eine abgestorbene innerkirchliche Weltlichkeit für eine scheinbar lebendigere außerkirchliche Weltlichkeit aufgeben und der Meinung sein, man sei dadurch selbst zu einem *Lumen Gentium* geworden.

Angelo Scola: Da Sie von ›Lumen Gentium‹ *sprechen: was ist für sie das Wichtigste an diesem Schreiben?*

Hans Urs von Balthasar: Zwei Dinge. Aber sie zu erklären braucht es mehr als zwei Sätze. Zum ersten: man lese den Satz zu Ende: »Lumen Gentium cum sit Christus«. Das große Licht der Welt, das die Menschen heute suchen, ist Christus. Er interessiert in jeder Form und jeder Karikatur: als marxistischer Christus, als »Cristos libertador«, als das »Christusprinzip« der Anthroposophen. Tausende von Bibelgruppen in aller Welt, in und außerhalb der Kirche, mühen sich um die Entzifferung des Rätsels Christus. Die Kirche als Institution interessiert eigentlich niemanden, und die durchgehende Parole ist bekannt genug: Christus: ja, Kirche: nein. Es gäbe für die heutige Kirche nichts Wichtigeres als die Aufgabe, zu zeigen, daß Christus in Wahrheit, von seiner Kirche getrennt, nicht existiert, man kann ihm ohne sie nicht nachfolgen, nicht von ihm leben.

So daß die einzige Frage, die die Kirche sich heute stellen müßte, lautet: Wie müßte ich aussehen, damit die Menschen durch mich hindurch den wahren Christus finden können? Die Antwort darauf liegt natürlich nicht in der Umformung kirchlicher Strukturen, mit der man sich leider nur allzusehr beschäftigt; sie liegt in der Weise, wie Kirche existentiell zu einem einzigen Hinweis auf Christus werden kann, was sie von ihrer Gründung her, ja von ihrer innern objektiven Verfaßtheit her ja schon ist. Kein Mensch wird sich zu Christus bekehren, weil es ein Magisterium gibt, weil es Sakramente, einen Klerus, ein Kanonisches Recht, apostolische Nuntien, einen gigantischen kirchlichen Apparat gibt. Sondern höchstens, weil der Betreffende einem Katholiken begegnet ist, der ihm durch sein Leben und Beispiel evident gemacht hat, daß es gerade im katholischen Bereich eine – nein *die* – glaubwürdige Nachfolge Christi gibt. Dann wird dieser Mensch, der Christus sucht, die Unvollkommenheiten der Kirche in Kauf nehmen. Das Konzil hat dies an zwei Stellen mit größter Klarheit gesagt: in *Lumen Gentium* durch die Aussage, daß nicht ein paar Auserwählte, sondern alle Christen zur vollkommenen Liebe und Heiligkeit berufen sind. (Ich füge in Klammer hinzu, daß dies immer schon das Programm der ignatianischen Exerzitien war: »In jedem Leben oder Stand, die Gott mir zu wählen darbietet, zur Vollkommenheit der christlichen Liebe zu gelangen«, heißt es in den einleitenden Bemerkungen zur Wahl.) Die zweite Stelle im Konzil, die noch weiterführt, steht in *Dei Verbum* und zeigt auf die innere Untrennbarkeit von drei Elementen: der Heiligen Schrift, der kirchlichen Tradition und des kirchlichen Amtes. Jedes der drei Elemente verweist, um es selbst zu sein, auf die beiden andern. Keine Schrift ohne Tradition und Amt, keine Tradition ohne Schrift und Amt, kein Amt ohne Schrift und Tradition. Das ist immer gewußt, vielleicht aber noch nie so lapidar ausgesprochen worden. Es im einzelnen auszuführen, fehlt hier die Zeit. Man müßte nämlich zeigen, daß nur unter diesen Bedingungen das gesamte Christenvolk zur Heiligkeit gelangen und damit ein glaubwürdiger Hinweis auf Jesus Christus sein kann.

Angelo Scola: Sie sprachen von zwei Stellen in ›Lumen Gentium‹. Welches ist die andere?

Hans Urs von Balthasar: Eine heikle Sache, aber sie ist nicht zu umgehen. *Lumen Gentium* hat ausführlich über das Papsttum und das bischöfliche Amt gehandelt, und um ihr inneres Verhältnis auszudrücken, ein Wort geprägt, das zwei Aspekte unlöslich zusammenschweißt: »*Communio hierarchica*«. Communio zuerst, verstanden im Geist des hl. Cyprian, der die sichtbare Einheit der Kirche vor allem in der liebenden Eintracht aller katholischen Bischöfe der Welt untereinander erblicken wollte; das war seine erste Intuition, die er später durch das Moment der liebenden Eintracht der Bischöfe mit dem Bischof von Rom ergänzt hat. Schon sein erster Gedanke ist reich und tief und soll zunächst für sich allein betrachtet werden. Seine Durchführung setzt eines voraus: die Übernationalität der Kirche, und hat nur einen Feind: den Nationalismus, der, wie in der Welt, so in der Kirche menschliche Schranken zwischen den Völkern, Kulturen, Rassen aufrichtet. Glauben Sie, daß heute dieser Feind von der Kirche wirklich überwunden worden ist? Oder verbirgt er sich nicht in den Bestrebungen gerade mancher Bischöfe, vielleicht unter dem Schlagwort »Inkulturation«, nationale Kirchen und entsprechend nationale Bischofskonferenzen zu installieren, denen möglichst viel autonome Macht zugesprochen werden soll, und dies unter dem Vorwand, daß nur dann die Kirche in einem Land oder Kontinent wirklich organisch sich entfalten und das Programm von *Lumen Gentium* durchführen kann? Hat man nicht zu hören bekommen, daß die eigentliche *communio* innerhalb eines Landes oder Kontinents durch die Bischofskonferenz verkörpert wird, von der dann der einzelne Bischof zu einem »Glied« wird? Man gelangt von einer solchen Konzeption aus notwendig (ob man es will oder nicht) zum Schluß, daß die Weltkirche aus der Summe der Nationalkirchen besteht, so daß sie nicht mehr übernational ist, sondern international wird.

Ich habe keinen Anlaß, den Verdacht auszusprechen, daß solche nationalen Gebilde in einer gewissen Feindschaft zueinander stehen, vergleichbar den weltlichen politischen »Blöcken«. Soweit ist es noch nicht. Immerhin ist es in der heutigen Kirche da und dort zu einem Politikum geworden, daß der Papst ein Pole ist und deshalb als ein Fremdkörper in der italienischen nationalen Kultur empfunden wird. Noch skandalöser wäre es, wenn ein Deutscher in die geschlossene französische Kulturwelt einbrechen würde, um an gewisse elementare Punkte zu erinnern, die in jeden katholischen Katechismus gehören. Lateinamerikanische Bischöfe und Kardinäle durchziehen Deutschland und sprechen an sozialistischen Sendern über ihre Befreiungstheologie, ohne es nötig zu finden, die Ordinarii Loci davon in Kenntnis zu setzen oder sie auch nur zu begrüßen. Viele andere Beispiele könnten angefügt werden, von denen ich aber keineswegs sagen möchte, daß sie die Regel bilden. Nein, trotz des lauernden Feindes gibt es eine sich immer wieder bewährende episkopale Communio im Sinne Cyprians über die nationalen und kontinentalen Schranken hinweg. Sie existiert, wurde aber dadurch tief gefährdet, daß man das Wort *communio* auf die Bischofskonferenzen (zum Beispiel der Vereinigten Staaten) anwenden würde.

Nun aber zum zweiten Moment: »hierarchica«. Gemeint ist die Verbindung der Bischöfe in dem Einheitsprinzip, das der Bischof von Rom repräsentiert. Hier wäre ausführlich vom »antirömischen Komplex« zu sprechen, der heute mehr als je in allen Kontinenten grassiert, in den verschiedensten Varianten, die aber immer nur Variationen über das gleiche Thema sind.

Angelo Scola: Zum Beispiel?

Hans Urs von Balthasar: Ich will nicht ausführlich werden, vielleicht kommen wir später nochmals auf das Thema zurück, denn es ist ein *articulus stantis vel cadentis ecclesiae.* Beispiele? Nun, zuerst der schon genannte kirchliche Nationalismus, der noch immer zu wachsen scheint und vor allem nicht zusammengeworfen werden sollte mit dem, was das Konzil Partikularkirchen nennt. Sodann die Verdrehung des konziliaren Begriffs des »Volkes« in die Bedeutung »Demokratie«, womit die christologischen Wurzeln des kirchlichen Gehorsams verloren gehen. Wenn die *communio hierarchica* der Bischöfe und dann auch jedes einzelnen Christen nicht als ausgesprochene Nachfolge

Christi verstanden und gelebt wird, ist alles umsonst. Und entsprechend ist keine pastorale Leitung im katholischen Sinn möglich, wenn sie nicht auf den »Leib« und die »Braut« Christi zielt, sondern auf ein sich demokratisch fühlendes und gebärdendes Kirchenvolk.

Angelo Scola: Wir wollen nicht länger beim Zweiten Vaticanum verharren, über das Ihr Freund Kardinal de Lubac schon ausführlich gesprochen hat. Lieber würde ich mit Ihnen über das nachdenken, was gemeinhin als die postkonziliare Zeit bezeichnet wird. Und zunächst die Frage: Welchen Einfluß haben die Konzilstexte auf Ihre theologische Arbeit gehabt?

Hans Urs von Balthasar: Sie wissen, daß ich nicht beim Konzil war und den Enthusiasmus der Teilnehmer nicht miterlebt habe. Das Konzil hat eine große Anzahl Papiere hervorgebracht, vielleicht mehr, als der Durchschnitt der Katholiken (vielleicht auch der Bischöfe) verkraften konnte. Und die Fülle der Buchstaben garantiert ja nicht auch schon für die Fülle des Geistes. Man sieht es vielleicht daran, daß die großen Texte des Konzils durchaus noch lebendig sind, während die enorme Masse der Kommentare darüber (zu Recht oder Unrecht) nur noch von Spezialisten durchblättert wird. Auf den Geist kommt es an, »das Fleisch«, sagt Jesus, »nützt nichts«; auf den Geist, der durch den großen Blätterwald rauscht, und auf den zu lauschen ich mir Mühe gab, obschon Sie wenig wörtliche Zitate bei mir finden. Dieser Geist scheint mir, unter zuweilen etwas vergilbten Formen, heute noch so aktuell, daß es zwecklos ist, auf ein »Drittes Vatikanum« vorauszublicken. Er würde, wenn man manche Texte etwas komprimieren und anders anordnen könnte, noch besser herausleuchten.

Angelo Scola: Welche Beziehung sehen Sie zwischen dem Konzil und der kirchlichen Krise in den unmittelbar nachfolgenden Jahren?

Hans Urs von Balthasar: Es wurde schon angedeutet, daß manches in den vorkonziliaren Strukturen verholzt war. Und natürlich ist die eigentliche Absicht von »Aggiornamento« (mettre à jour) gründlich verkannt worden: die Kirche sollte innerlich instandgesetzt werden, aus ihren ursprünglichsten Kräften heraus der neuen Weltlage entgegenzutreten. Man hat daraus einen »Vorwand« gemacht (um mit Paulus Gal 5,13 zu reden), die Kirche zu verweltlichen. Der Papst und Kardinal Ratzinger haben hier vollkommen recht: die nachkonziliaren Wirren sind nicht vom Konzil verschuldet.

Angelo Scola: An der Basis der Krise liegt ein Konflikt in der Deutung des Konzils. Ich denke, daß dieser zu guten Teilen von einem andern, noch heute in der katholischen Kirche aktuellen Deutungskonflikt abhängt: dem, was unter Modernität zu verstehen ist. Gibt es, Ihrer Meinung nach, Fragen, die die moderne Welt an die Kirche gestellt hat, und auf welche die Kirche keine Antwort zu geben wußte?

Hans Urs von Balthasar: Sicher ist es heute nötig, eine Anthropologie auszubauen, in der alle Dimensionen entfaltet werden, die von der heutigen modernen Welt entdeckt und ausgebaut werden. Dabei wird man vielfach spezialisierten Wissenschaften begegnen, deren wesentliche Fragestellungen ernstgenommen werden müssen, auch wenn nicht jede Detailfrage, die bei den Fachleuten noch umstritten ist, vorweg in der Kirche eine autoritative Lösung finden kann. Aber gewiß ist eine Anthropologie erfordert, die unserer Zeit angemessen und dabei christlich ist, nämlich angeleuchtet durch das Licht der Offenbarung. Es gibt – und dies hat Guardini mich zu sehen gelehrt – Elemente im Bereich der Natur, die erst, wenn das Licht des Übernatürlichen sie trifft, in ihrer kreatürlichen Wahrheit heraustreten. Solche Elemente gibt es heute, und hier möchte ich einen anderen zitieren, meinen Vetter Peter Henrici S.J. an der Gregoriana, der in einem wichtigen Aufsatz herausgestellt hat, daß wir heute nicht mehr im gleichen Sinn wie die Griechen von »Meta-physik« reden können, da für die Griechen »physis« einfach das Kosmisch-Umgreifende war, während für uns der Mensch Gipfel und Inbegriff des Kosmos ist, und deshalb »Meta-physik« in eine »Meta-anthropologie« umgemünzt werden müßte, wobei freilich der Sinn des »Meta« in keiner Weise vernachlässigt werden darf. Etwas von dieser Transposition des Griechischen ins Personal-Christliche ist ja sicher schon deutlich bei Augustinus und wohl auch (nach der Deutung von J.B. Metz) beim hl. Thomas vorhanden. Aber eine bloße

Fortführung der Hoch- und Spätscholastik wird dazu nicht hinreichen, sosehr sie uns wertvolle Bausteine liefern kann. Ist der Christ sich der Unvergleichlichkeit der christlichen Offenbarung bewußt, so kann er sich beim Ausbau der Humanwissenschaften auf die göttliche Kraft der Unterscheidung der Geister verlassen, die ihm sagen wird, wie er in den schwierigen sich neu stellenden Fragen (vielleicht nach einer hinreichenden Periode der Überlegung) zu entscheiden hat.

Angelo Scola: Also kein Mißtrauen der modernen Kultur gegenüber, die die Kirche nicht mehr in sich einzubergen vermöchte?

Hans Urs von Balthasar: Grundsätzlich nicht, wenn die genügende Unterscheidung der Geister praktiziert wird. Diese wird dann auch den Finger auf gewisse gefährliche, ja dämonische Züge der »Modernität« legen, Züge, bei denen man zweifeln kann, ob sie noch kulturell aufbauend oder nicht vielmehr kulturzerstörend sind.

Angelo Scola: Gibt es Beispiele?

Hans Urs von Balthasar: Etwa die Massenmedien. Man weiß, welch verführende Macht sie auf die Jugend haben, die angesichts der wirren Vielfalt der vorbeiflitzenden Bilder die Frage nach dem Sinn des Lebens nicht einmal mehr zu stellen vermag. Ich erinnere mich an einen letzten Vortrag von Gabriel Marcel, der, sein Papier liegen lassend und zur Decke aufschauend, sagte, beim Fernsehen komme er sich wie in einem Unterseeboot vor, aus dem er, durch eine Luke schauend, ein Stückchen Meeresgrund erblicke und sich dabei einbilde, er schaue die Welt. Aber ich sehe noch etwas christlich viel Beunruhigenderes, für das ich viele Beispiele anführen könnte: in Pfarrhäusern sitzt der Pfarrer am Abend vor dem Fernseher, ob er sein Brevier gebetet hat oder nicht. Er liest kaum noch etwas. Das gleiche in Klöstern. Ich kenne Ordenshäuser, in denen die Scholastiker bis Mitternacht vor dem Flimmerkasten sitzen, statt zu studieren. Und wenn man das Fernsehen in Karmelklöstern verfolgt – wozu gibt es dann noch eine Klausur? Es ist gar nicht auszurechnen, wieviel an Gebet für Kirche und Welt durch die Medien verloren geht, welcher Schätze Gott beraubt wird, welcher unentbehrlicher Hilfen die Christenheit verlustig geht. Kein Wunder dann, wenn jene, die die echte christliche Kontemplation verlernt haben, sich von ihrer psychologischen Nervosität auf einem Zen-Kissen erholen müssen. Es braucht viel Aszese, menschliche und christliche, um von den Medien, die sicher an sich ein Gut sind, den rechten Gebrauch zu machen.

Angelo Scola: Und was verstehen Sie unter christlicher Kontemplation?

Hans Urs von Balthasar: Sie ist zunächst schwieriger geworden, weil vieles, was sie früher angeregt hat (gute Predigten zum Beispiel), selten geworden ist, während vieles andere sie stört. Dabei gibt es, besonders bei der

Jugend, einen wahren Hunger nach echter Kontemplation, die aber ohne gediegene kirchliche Einführung durch einen erfahrenen Meister nur selten in Reinheit gefunden wird. Man könnte drei Gefahren nennen, die untereinander ganz verschieden sind. Einmal die schon kurz erwähnte Flucht in orientalische Formen der Kontemplation, bei der man zwar zu einer inneren Stille gelangt, aber nicht zum lebendigen Gott Jesu Christi findet. Darüber müßte einen ganzen Abend gesprochen werden, was hier unmöglich ist. Nur soviel: die östliche »Ungegenständlichkeit« (durch Abstraktion von allem weltlich Objektiven) ist etwas himmelweit von der christlichen »Ungegenständlichkeit« des lebendigen Gottes der dreieinigen Liebe Verschiedenes, der sich in der Menschheit Jesu Christi und seinem Heiligen Geist offenbart hat, wovon christlich keine »Abstraktion« möglich ist: sie wäre Desinkarnation. Als zweite Gefahr nenne ich den Versuch, Gott unmittelbar (»charismatisch«) zu erleben, durch irgendwelche psychologisch-religiöse Selbststeigerungen, ob sie »gruppendynamisch« oder sonstwie angekurbelt werden. Ein neues Buch trägt den bezeichnenden Titel »Gotteserfahrung im Schnellverfahren«. Es geht aber gar nicht primär um »Erfahrungen«, die man schwarz auf weiß nach Hause tragen kann, sondern um ein Sichvertiefen in das, was Gott uns, wenn wir lebendig glauben, in seiner Liebe schenkt. Ein Drittes ist nochmals ganz anders. Es ist eine Tatsache, daß – zumal in Frankreich – manche kontemplativen Abteien überfüllt sind, während die wenigen noch angebotenen

Seminarien fast leer stehen. Junge Menschen suchen ein Leben für Gott; was ihnen als Weg zum Priestertum angeboten wird, überzeugt sie nicht; echte Vertiefung in Gottes Mysterien, die notwendige Vorbereitung auf ein priesterliches Wirken, wird nicht garantiert, deshalb flüchten sie in die Klöster. Ich habe den Verdacht, daß heute sich viele dort bergen, die eigentlich in die normale Seelsorge gehören. Damit ist freilich wenig über das Wesen christlicher Kontemplation gesagt, aber vielleicht der Raum negativ abgegrenzt, innerhalb dessen sie zu liegen käme.

AUFKLÄRUNG, JUDENTUM

Angelo Scola: Man hört heute nicht selten die Aussage – Hans Küng hat sie vor kurzem vertreten –, daß die von der Aufklärung eröffneten Fragen von der Kirche ohne Antwort geblieben seien. Ich denke vor allem an ein bekanntes Buch von Oelmüller, das vor einigen Jahren erschienen ist: »Die unbefriedigte Aufklärung«.

Hans Urs von Balthasar: Ich habe das Buch nicht gelesen, aber kann mir aus dem Titel etwas von seinem Inhalt vorstellen. Über Hans Küng möchte ich hier nur sagen, daß er durchaus das Recht hat, die Position eines liberalen Protestanten einzunehmen, mit einem entsprechend starken antirömischen Affekt; fragwürdig ist nur, weshalb er darauf besteht, sich noch als Katholik zu bezeichnen. Seine christologische Position läßt es als logisch erscheinen, daß er in Teheran den Dialog mit dem Islam aufnehmen konnte (Christus und Mohammed sind jeder in seiner Art Sachwalter Gottes), ja in seinem letzten Buch eine Ökumene auf der Ebene der Weltreligionen eröffnet hat. Auch das ist, wenn der Christ seinen Glauben zu wahren weiß, ein berechtigtes Anliegen.

Die Frage nach der unbefriedigten Aufklärung ist nicht durchaus dasselbe. Sicherlich ist in der heutigen Kirche manches von der Aufklärung überkommene

Problem neu lebendig, nicht zuletzt angeregt durch die moderne Bibelexegese, die ja sebst weitgehend ein Kind der Aufklärung ist. Sie wirft Fragen auf, die der einfache Christ innerhalb seines naiven Bibelverständnisses nicht mehr zu bewältigen vermag, die auch für den Theologen das Problem aufwerfen, auf welche Weise eine streng wissenschaftliche Exegese mit einem spirituellen Schriftverständnis, wie die Väter und das Mittelalter es kannten, vereinbar ist. Daß beides ernsthaft zusammengeht, dafür haben wir beste Beispiele; ich nenne bloß ein paar Namen: Heinrich Schlier vor allem, der als Schüler Bultmanns zum Katholizismus konvertierte, Heinz Schürmann, Stanislas Lyonnet, Ignace de la Potterie, Jerome Quinn, manche anderen könnten genannt werden. Bloß ist erfordert, daß man auf die aufklärerischen Theorien über Christus und Christentum wesentlich tiefere Antworten gibt, als es manche spezialisierten Exegeten tun. Es ist möglich, sich über alle in den Evangelien aufsteigenden Probleme hinweg vor das Ur-Phänomen Christi zu stellen, das durch keine spätere »Übermalung« die unerhörte und unzerstörbare Evidenz erhalten haben kann, die es durch alle Zeiten hindurch ausgestrahlt hat. Urphänomene entstehen nicht durch Zusammenklitterungen. Das anerkennt zum Beispiel heute auch die Homerforschung, und Homer ist noch lange nicht Christus. Die Exegese hat uns sehr viel Wichtiges gelehrt, hat vieles neu sehen und einstufen lassen, aber sie kann uns nicht davon überzeugen, daß die Bibel nichts weiter ist als ein literarisches Dokument unter andern, denn sie steht in der gesamten Weltliteratur einzig da als ein unvergleichbares Zeugnis von der Selbstoffenbarung des lebendigen Gottes. Die von Christus als die »Einfältigen« Bezeichneten sehen das unmittelbar, »den Klugen und Weisen ist es verborgen«. Die letzte mögliche Antwort der Kirche jenseits allen Räsonnierens mit den Aufklärern ist das schlichte Zeugnis, wie schon die Apostel und alle Großen der Kirche es abgelegt haben. Wie vor allem auch die verfolgte Kirche es ablegt. Und sie steht damit in der unmittelbaren Nachfolge ihres Herrn, der selber, als das Wort Gottes, nichts anderes tat, als Zeugnis ablegen von Dem, der dieses Wort aussprach, und der dafür verfolgt und gekreuzigt wurde.

Angelo Scola: Vor etwa fünfzehn Jahren hielten Sie in Einsiedeln einen Vortrag, den ich hörte, und bei dem Sie die Beziehung zwischen moderner Kultur und Judentum entwickelten.

Hans Urs von Balthasar: Dies führt uns in eine der schwierigsten Fragen hinein, die vielleicht nur von Gott selbst richtig beantwortet werden kann. Geht es doch um das Ur–Schisma innerhalb des einen Volkes Gottes (denn es kann nicht zwei Gottesvölker geben), das Christus selber verursacht hat und verantwortet, so daß seine Kirche nicht tun sollte, als wüßte sie die Lösung und könnte diese gar selber herbeiführen. Wir sehen nur Fragmente der Gesamtwahrheit, aus denen wir kein Ganzes zu bauen vermögen. Erschreckend ist, daß schon fünfhundert Jahre vor Christus das Schicksal des gebrochenen Bundes besiegelt schien, als Gott dem Propheten verbot, länger für das verworfene und in die Verbannung zu sendende Volk zu beten. Irgendwo war dieses ungeheure Ereignis, das definitiv schien, das letzte Vorbild dessen, was bei der Ablehnung Jesu geschah. Die lange Zwischenzeit mochte so Schönes wie die späten Psalmen hervorgebracht haben; die Pharisäer, Nachfahren der Makkabäer, wollten in ihrem Eifer Gott beweisen, daß man sein Gesetz halten kann, aber nach Paulus, ja nach Jesus selbst schaufelten sie sich damit die Grube, in die sie hineinfielen; ihr heiliges Haus wird »verödet zurückgelassen« (Mt 23,38), woran auch kein »Staat Israel«, mehrheitlich atheistisch, etwas geändert hat. Israel kann nur warten auf eine letzte Verheißung, die Jesus selbst erließ (»bis daß ihr sprecht…«) und die Petrus (Apg 3,19f) und Paulus bestätigen (Röm 11). Karl Barths Prädestinationslehre hat mich stets tief beeindruckt, worin er für ein einziges, aus Juden und Christen bestehendes Gottesvolk plädiert, und die beiden Völker mit den zwei links und rechts des Gekreuzigten Mitleidenden vergleicht, der eine ins Dunkel abgewendet, der andere dem Licht zugekehrt, aber Christi Hände sind nach beiden Seiten ausgestreckt.

Angelo Scola: Ich unterbreche Sie, weil das von Ihnen Gesagte an einen wichtigen Punkt der Lehre rührt. Wenn Israel auch nach der Geburt der Kirche fortfährt, zum Volk Gottes zu gehören, welchen Sinn hat dann die vom Konzil der Kirche zugeteilte Benennung als »Volk Gottes«?

Hans Urs von Balthasar: Auch wenn Israel fortfährt, zum Volk Gottes zu gehören, so kann man den von Paulus ausführlich dargestellten Unterschied zwischen einem »fleischlichen« und einem »geistlichen« Volk nicht übersehen. Denken wir aber an die zu Beginn erwähnte gegensätzliche Grundbewegung zurück. Das Mysterium Israels besteht darin, daß es zugleich ein »fleischlich«, irgendwie rassisch geprägtes Volk ist (kein Goi kann in dieser Hinsicht jemals Jude werden) und ein von Gott her so gewolltes, gebildetes und erhaltenes Volk bleibt (sonst wäre es längst untergegangen). Beide Momente, das fleischliche und das theologische, sind solange untrennbar, als der Jude sich zu seinem Judentum bekennt oder − negativ ausgedrückt − nicht Christ wird, das heißt von seiner alttestamentlichen Theologie zur erfüllenden neutestamentlichen übergeht. Schon im Alten Bund war dieses Amalgam ein Paradox, dessen die Juden sich bis heute bewußt bleiben: Israel war eine in sich geschlossene ethnische Wirklichkeit, die aber (Deuterojesaja) dazu bestimmt war, zum Licht aller Völker zu werden. Seine Erwählung ist schon in Abraham ein Ereignis für die gesamte Welt; man lese Martin Buber oder einen andern bedeutenden Juden der Gegenwart: das Bewußtsein ist überall lebendig, daß Israel das Modell-Volk für die Menschheit im ganzen ist. Daß sich dieses Bewußtsein durch die tragische Geschichte der Juden hindurch zu erhalten vermochte, ist ein Zeichen für den verbliebenen theologischen Zusammenhang zwischen dem alttestamentlichen Israel und dem heutigen: »Gottes Verheißungen sind ohne

Gereuen«. Aber nachdem die Sendung des Täufers Johannes gescheitert war, »die Kinder Israels zu ihrem Herrn und Gott zu bekehren« (Lk 1,16), kam es für seinen Nachfolger Jesus nicht mehr in Frage, das »fleischliche« Israel zu seinem »geistlichen« Amt zu befähigen; er selbst war als Gottes letztes und alles versammelndes Wort der Ursprung eines nicht mehr ethnisch gebundenen »Israel Gottes« (wie Paulus die Kirche nennt). Der »Neue Bund in meinem Blut« ist – darin haben die Juden recht – nicht insofern neu, daß er den Alten aufhöbe, wohl aber vollendet er diesen, indem er das Fleischlich-Gebundene (Beschneidung) zugunsten einer neuen, auf Christus begründeten eucharistischen Leiblichkeit auflöst (Taufe). Ich wage angesichts dieser Aufhebung des Partikularen ins Universale oder »Katholische« eine Hypothese, die ich niemandem aufzwingen möchte: daß nämlich ein Jude, der Christ wird, damit aufhört, Jude zu sein, genauso wie ein Heide, der Christ wird, aufhört, Heide zu sein. Das Heil kommt gewiß »*aus* den Juden«, sagt Jesus bei Johannes, aber Paulus, der Christ, benimmt sich, um seine Brüder zu gewinnen, nicht *als* Jude, sondern »*wie* ein Jude«, »den unter dem Gesetz Lebenden *wie* ein unter dem Gesetz Stehender, obschon ich selber *nicht* unter dem Gesetz stehe« (1 Kor 9,20). Für den zu Christus übergehenden Juden ist das alttestamentliche Paradox, daß ein fleischliches Volk theologische Bedeutung für die Welt hat, überschritten.

Natürlich besagt das in keiner Weise, daß ein vom Judentum zur Kirche übergetretener Christ nicht innig und existentiell mit dem Volk seiner Herkunft verbunden bleibt, inniger als es wohl ein aus dem Heidentum stammender verstehen kann. »Im Heiligen Geist« legt Paulus Zeugnis ab von seiner »großen Traurigkeit«, seinem »unablässigen Schmerz in seinem Herzen«, weil seine Brüder, seine »Verwandten nach dem Fleische«, denen so unerhörte Gnaden Gottes zuteil wurden, bis dahin, daß »Christus dem Fleische nach aus ihnen herstammt«, seinen Weg nicht mitzugehen vermochten. Die unabgerissene Verbindung mit Israel ist bei ihm so stark, daß er, wenn es möglich wäre, um ihretwillen auf sein eigenes Heil verzichten möchte, »von Christus weg verflucht sein wollte«, wenn nur sie das von ihm gefundene Heil erreichten. Diese Stelle gehört zu den paradoxesten der ganzen Bibel, ist wie eine äußerste Bezeugung christlicher, ja christologischer Liebe, der Wunsch, das »pro nobis« Christi unverkürzt mitzuerleben, der unsertwillen »zur Sünde« und »zum Fluch« gemacht wird, nicht in einem äußerlichen, bloß juristischen Sinn, sondern wahrhaft in einer stellvertretenden Erfahrung des über den Sündern liegenden Fluchs, in der Zeit- und Ausweglosigkeit des Kreuzes und des »Abstiegs zur Hölle«. An dieser Stelle genau zeigt sich, welchen Schritt Paulus vom Alten Bund in den Neuen hinübergetan hat: in diesem »wegverflucht« denkt er sowenig an eine bloße Zeitweiligkeit, als der Erlöser am Kreuz daran denken konnte: Paulus als Christ möchte – aus Liebe und innerer Verbundenheit mit seinen Brüdern aus Israel – ihr theologisches Schicksal nicht nur bedenkenlos teilen, sondern es an ihrer Stelle selbst übernehmen.

Sie fragen, wie die Kirche neben Israel als Volk Gottes bezeichnet werden kann. Ich würde darauf antworten: in einem bildlichen Sinn, wie alle übrigen Bezeichnungen für die Kirche nach *Lumen Gentium* Bilder für eine Mysterienwirklichkeit sind. Überdies sind die Bezeichnungen der Kirche als Volk im Neuen Testament durchwegs Zitate aus dem Alten. Aber Kardinal Ratzinger hat mit Recht betont, daß »Volk« nicht die zentrale Aussage über die Kirche sein kann: Leib und Braut Christi gehen tiefer.

Angelo Scola: Ich möchte nochmals zum Judentum zurückkehren, um von seinem Zusammenhang mit den großen atheistischen Strömungen der Gegenwart, vor allem dem Marxismus, zu handeln. Mir scheint, Sie haben in Einsiedeln auch davon gesprochen.

Hans Urs von Balthasar: Daran erinnere ich mich nicht. Aber daß der Marxismus ein grundlegend jüdisches, nämlich säkularisiert messianisches Phänomen ist, kann nach vielen ernsthaften Forschern der Gegenwart (nichtjüdischen und jüdischen) nicht mehr geleugnet werden. Zeugnisse hat Theunissen in seinem Hegelbuch gesammelt. Und man lese einmal mit dem Blick auf die weltgeschichtliche Aktualität Israels Martin Bubers chassidischen Roman »*Gog und Magog*« : man wird darin sehen, daß für ihn, der an die Weltmission des Judentums glaubte, zwei Möglichkeiten jüdischer Existenz zur Entscheidung standen: entweder auf den Messias warten – oder, da er ausbleibt, sein Werk selber

in die Hand nehmen. Zwei Weisen also, die deutero-
jesajanische Verheißung zu verstehen; die zweite Weise
hat das atheistische Judentum durchgeführt. Insofern
ist der Marxismus ein negativ-theologisches Phänomen.
Und insofern bleibt Israel auch heute ein explosiver
Brennpunkt der Weltpolitik.

*Angelo Scola: Es gibt heute eine geistige Strömung, die
von der Geschichtlichkeit als der privilegierten theologischen Grundwirklichkeit ausgeht. Sie sagt, daß das
Konzil im Grunde den geschichtlich situierten Menschen
nicht im Blick gehabt habe. Und man wird sachlich zu-
geben müssen, daß nur in »Gaudium et Spes« gewisse
Passagen dieser Forderung entsprechen. Was halten Sie
davon?*

Hans Urs von Balthasar: Ich bin nicht sicher, ob die
Theologie, von der Sie sprechen, das Wesen der Offenbarung und der sie verkündenden Kirche hinreichend
erfaßt hat. Wenn die Offenbarung in Christus wirklich
eschatologisch ist, und wir nicht mit den zahllosen
Joachimiten ein qualitativ neues Zeitalter des Geistes
zu erwarten haben, dann kann ich mir keine geschichtliche Situiertheit von Mensch und Menschheit vorstellen, für die das Zeugnis der Kirche von dem Gott,
der die Welt so sehr geliebt hat, daß er sein Teuerstes
für sie dahingab, obsolet geworden wäre. Man vergißt
wohl, daß die Kirche, obschon in der Weltgeschichte
mitwandernd, mit ihrem Innersten überhistorisch, im
Definitiven, Ewigen verankert ist. Der Hebräerbrief

braucht genau dieses Bild von dem im Ewigen geworfenen Anker. Die Kirche kann in verschiedene geschichtliche Situationen mit verschiedenen Sprachmitteln hineinsprechen, aber der Inhalt des Verkündeten übersteigt diese Differenzen, weil er zeitlos gültig ist. Der Wortschatz, die Disposition der Katechismen, die Methoden der Predigt und der Glaubensbelehrung können sich wandeln, der Inhalt nicht.

Angelo Scola: Unter Ihren in den siebziger Jahren verfaßten Schriften sind zwei sehr kritisch gegen die Tendenz des Christentums zu einer »weltlichen Welt« (»Wer ist ein Christ?«) und gegen das »anonyme Christentum« (»Cordula«). Haben die angegriffenen Positionen nicht versucht, ernst zu machen mit der geschichtlichen Situierbarkeit des Menschen?

Hans Urs von Balthasar: Um mit dem Zweiten anzufangen: ich gestehe Ihnen offen, daß ich nie begriffen habe, was Rahners von Kant entlehnte Kategorien »transzendental« und »kategorial« in einer christlichen Theologie zu suchen haben. Auch Erich Przywara begriff es offenbar nicht, da er (nach den Erinnerungen von Prälat Strobl) bei einer Begegnung mit Karl Rahner in Wien ihm einmal die Frage stellte: »Was soll denn das?« Daß Rahner damit den ungezählten Menschen, die keinen bewußten Glauben an Christus haben, eine Tür zum Heil öffnen wollte, ist sicher; Rahners theologische Fragestellungen waren ja zumeist pastoral bedingt. Aber genügten hier nicht die alten Begriffe einer *fides implicita*, eines *baptismus in voto* usf.? Das Schlagwort »anonymer Christ«, in dem ich einen Widerspruch sehe, denn ein Christ ist definitionsgemäß einer, der seinen Namen von seinem Zeugnis für Christus bezieht, wurde notwendig zum Ausgangspunkt einer von Rahner zwar nicht beabsichtigten, aber faktisch unvermeidlichen Banalisierung des Christlichen. Man braucht sich bloß bestimmte amerikanische Dogmatiken anzusehen, die sich offen auf Rahner berufen, um zu sehen, was für eine Harmlosigkeit dort aus dem Christsein wird. Durch Christus ist die Kunde in die Welt gekommen, daß Gott vor allem ein Gott der Liebe, nicht der Vergeltung ist, daß die Gnade überall in der Menschheit waltet, daß einer nur redlich (ein Lieblingswort Rahners) seinem Gewissen zu folgen hat, um im Heil zu sein, daß (nach McBrian) von der Erbsünde nicht mehr geredet zu werden braucht, und vor allem, daß das Kreuz Jesu keineswegs ein stellvertretendes Tragen der Weltsünde war. Rahner hat, aus Abscheu gegen die Kreuzeslehre des hl. Anselm, zuletzt offen gelehrt, daß die Kirche auf das »pro nobis« des Kreuzes verzichten kann; daß erst die (angeblich »späte«) Theologie Pauli es eingeführt habe; daß überhaupt keiner die Sünde eines andern tragen kann, somit das Kreuz einfach das Zeichen der vollen »Solidarität« Gottes mit uns Sündern sei. Ein höchst merkwürdiges Zeichen, würde ich hinzufügen, wodurch uns Gott seiner Liebe versichert. Aber diese Harmlosigkeiten zirkulieren nicht bloß in Amerika, sondern natürlich auch in vielen europäischen Ländern. Ich kann nur feststellen, daß eine Jugend, die einen seriösen christlichen Glauben sucht, sich immer weniger damit abspeisen läßt. Aber sie hatten noch eine zweite Frage?

Zur Befreiungstheologie

Angelo Scola: Ja, es handelt sich in zweiter Linie um die
»Tendenz zu einer weltlichen Welt«. Nähern wir uns hier
nicht dem Problem der Befreiungstheologie?

Hans Urs von Balthasar: Ich denke, ja. Die Befreiungstheologie ist wohl vor allem eine politische relecture
der Bibel des Alten und Neuen Testaments. Sofern sie
sich sehr stark auf alttestamentliche prophetische Aussagen stützt, die vom Unwillen Jahwes über die Unter-
drückung der Armen in Israel handeln; und da Israel
im besagten Sinn ein »fleischliches« Volk ist, kann sich
diese Theologie zwar biblisch, aber damit noch nicht
eigentlich christlich nennen. Biblisch, sofern auch nach
schon Gesagtem Israel eine einzigartige Verbindung von
ethnischen und theologischen Komponenten ist. Aber
schon innerhalb des Alten Bundes wandelt sich der
Begriff der »Armen« von einem mehr soziologischen
zu einem mehr theologischen: die »Armen Jahwes«
sind bekanntlich seit Jeremia diejenigen, die auf keine
irdische Macht, nur auf Gott allein vertrauen und hoffen
können. Daß dieses vorwiegend theologische Moment
der Armen Jahwes das politische nicht aus-, sondern
durchaus einschließt, hat wohl niemand eindringlicher
gezeigt als mein lieber verstorbener Freund Pierre
Ganne, in seinem von mir übersetzten Büchlein *»Le*

41

Pauvre et le Prophète« (»Die Prophetie der Armen«). Er zeigt darin, daß der Arme nicht nur theologisch, sondern auch politisch der eigentliche Prophet ist, indem er über alle innerweltlichen Millenarismen hinaus auf die absolute Zukunft Gottes setzt.

Aber wie steht es, wenn wir (auch mit Ganne) vom Alten zum Neuen Testament übergehen? Oder sind wir mit der Unterscheidung von zeitlichem »futur« und ewigem »avenir« (das in Jesus Christus und seinem Heiligen Geist schon als Gegenwart begonnen hat) nicht schon ins Neue Testament übergetreten? Wir sind im Grunde bei dem, was Käsemann mit dem Wort vom eschatologischen Vorbehalt treffen wollte, einem Moment, das das Neue Testament zentral kennzeichnet. Und nun muß ich die Frage stellen, die mich immer umtreibt, wenn ich Texte der Befreiungstheologen lese: Ist im doppelten Hauptgebot Jesu, in seiner (wahrhaft eschatologischen!) Sentenz: »Was ihr dem geringsten meiner Brüder getan habt...« nicht schon alles Wesentliche ausgesagt? Liegt die vielberufene Solidarität mit den Armen nicht offenkundig in diesem Gebot? Muß für verzweifelte soziologische Situationen noch eine eigene neue Theologie hinzuerfunden werden, eine Theologie, die das Risiko eingeht, neben dem, was ernstgenommenes Christentum immer schon gewußt hat, etwas zu bauen, was weniger umfassend, ja weniger christlich ausfallen könnte als das reine Evangelium? Natürlich haben ganze Zeitalter von seinen ethischen und auch politischen Ansprüchen weggeblickt und sich mit einer Moral des bloßen Almosengebens das Gewissen beruhigt; insofern tut es gut, daß uns heute und gerade für die gegenwärtige Situation der alte evangelische Radikalismus, wie ihn ein Chrysostomus gepredigt, ein Franz oder ein Petrus Claver vorgelebt hat, unerbittlich neu vor Augen gestellt wird. Aber bedarf es dazu wirklich einer neuen Christologie, wie sie uns, um nur einen hervorragenden Vertreter zu nennen, Leonardo Boff vorlegt?

Angelo Scola: Was ist an dieser Christologie neu?

Hans Urs von Balthasar: Man kann es in seinem Buch »*Paixão de Cristo, paixão do mundo*« (Petropolis 1978) deutlich erkennen. Boff scheint hier eine stark von Bultmann beeinflußte Christologie zu entwickeln, da er wie dieser vertritt, daß wir über den historischen Jesus sehr wenig wissen, aber der Meinung ist, er könne die Hauptabsicht Jesu dahin interpretieren, daß dieser sich als der Befreier der Armen und Unterdrückten verstanden hätte. Alles übrige im Jesusbild läßt er als uninteressant, ja als verunklärende und schädliche Übermalung beiseite, auch wenn diese schon die Fassung der Evangelien, die Deutung Pauli und von hier aus die Deutung der gesamten Tradition bestimmt hat. Die Befreiung – das »Reich Gottes«, das Jesus damit erwartete – sei ihm mißlungen, dies drücke der sicher authentische Schrei am Kreuz aus: »Warum hast du mich verlassen?« Stellvertretung lehnt Boff wie Rahner ab. An uns Heutigen wäre es, das von Jesus Gewollte und Begonnene aufzugreifen und durchzuführen.

Und da wir schon von Boffs christologischem Entwurf sprechen, so sei noch ein Wort über seine Mariologie beigefügt, in der viel Schönes und auch mit der Tradition Übereinstimmendes steht, die aber in ihrer Hauptthese ein seltsames Licht auf die Christologie zurückwirft. Die Grundthese (als Hypothese vorgetragen, aber allseitig durchgeführt), die anscheinend die feministische Bewegung in theologischer Tiefe miteinfangen möchte, wird in Kursivdruck hervorgehoben: *Maria, die eschatologisch höchste Verwirklichung des Weiblichen, wurde vom Heiligen Geist in einer Weise überschattet, daß sie als mit dem Geist hypostatisch vereint bezeichnet werden kann und muß.* Diese These ruht auf zwei Pfeilern: einmal auf der Theorie von C.G. Jung, daß in jedem Menschen, Mann oder Frau, ein männliches (animus) und ein weibliches (anima) Element vorhanden sei, somit die beiden Geschlechter, einander zugestaltet, in der Vereinigung je den andern und sich selber finden. Von hier aus kann Boff zunächst von der hypostatischen Union Jesu Christi sagen, daß in ihm grundsätzlich nicht nur das Männliche, sondern auch das Weibliche mit dem göttlichen Logos verbunden sei. Dennoch ist gerade aufgrund dieser Einigung eine ergänzende zu erwarten: auch die entsprechend überwiegend weibliche Einigung muß sich vollziehen, schon deshalb, weil der übergeschlechtliche Gott der Urheber beider gleichwertigen Geschlechter sei. Und nur so werde, wie Boff gerne sagt, das theologische »Gleichgewicht« hergestellt, das in den patriarchalisch zeitgebundenen Reden im Neuen Testament nicht deutlich zur Darstellung komme. Wir können uns mit einer einzigen Frage an Boff begnügen: Was bedeutet für ihn »hypostatische Union«? Es kann nicht das besagen, was die Grundformel von Chalkedon damit gemeint hat, daß nämlich in Christus nur *eine* Person, die göttliche, sei, von der dann (wenn wir moderne Formulierungen verwenden wollen) die menschliche Natur »personiert« worden wäre (das alte *enhypostaton* meint im Grunde schon dasselbe, und auch Thomas hat es ausdrücklich gesagt). Darum allein wurde der Nestorianismus als Adoptianismus verurteilt: in Christus sind nicht zwei Personen verbunden. Maria aber ist ohne jeden Zweifel eine menschliche Person, auch wenn man die Wirkung des Heiligen Geistes schon bei ihrer »unbefleckten Empfängnis« anheben läßt. Sollte demnach das marianische Modell bei Boff das christologische erklären? Dann verstünden wir wohl besser, wie er gleichzeitig eine Bultmann oder Albert Schweitzer nahestehende Christologie vertreten kann, man verstünde auch, daß er wiederholt sowohl Christus wie Maria als die eschatologischen Gestalten schildert, deren Gottverbundenheit wir einmal völlig einzuholen bestimmt sind.

Boff zitiert in seiner Mariologie eine Unmenge Literatur, man wundert sich aber, daß er zwei Autoren, die seiner Grundabsicht nahestehen, sie aber auf orthodoxe Weise entwickeln, nicht anführt: Teilhard de Chardin mit seiner Vision vom »Eternel Féminin« (kommentiert von Kardinal de Lubac) und Louis Bouyers kühne, von der russischen Sophiologie beeinflußte These, daß der ganze Weltprozeß auf der Vermählung des (absteigenden) Logos mit der (bis zu Maria aufsteigenden) Sophia beruht. Bei diesen beiden Autoren ist die jungfräuliche Mutterschaft Marias die letzte und höchste Blüte der im Weltprozeß sich emporentwickelnden Sophia, und Christus die entscheidende Inkarnation des durch denselben Prozeß sich immer mehr konkretisierenden Logos; beide bilden demnach nicht zwei parallele hypostatische Unionen, die als solche die übergeschlechtliche Mann-Weiblichkeit Gottes darzustellen hätten, sondern eben jenes bräutliche Zueinander, das Paulus in Epheser 5 und die ganze Tradition in unzähligen christlichen Kommentaren des Hohenliedes schildert. Freilich muß dann – wiederum mit der ganzen, auch marianischen Tradition – neben der Würdegleichheit von Mann und Frau ihre Rollenverschiedenheit durchgehalten werden, wie sie Paulus in 1 Kor 11 schildert, aber zuletzt auf die Würdegleichheit zurückblendet, wenn er schließt: »Im Herrn ist weder das Weib unabhängig vom Mann noch der Mann unabhängig vom Weib, denn wie das Weib vom Mann stammt, so ist der Mann wiederum durch das Weib; alles aber stammt von Gott.« Ich denke nicht, daß ein Weg grundsätzlich darüber hinausführt. Doch genug zur Befreiungstheologie, obschon sie noch viele andere Spielformen als die geschilderte besitzt.

Angelo Scola: Ist Befreinng nicht ein wesentliches Moment des christlichen Missionsauftrags, ist sie nicht notwendig für jede echte Inkulturation?

Hans Urs von Balthasar: Doch, ganz gewiß. Aber, um nochmals das gleiche zu wiederholen, sie setzt keine neue Theologie voraus, sondern schlicht das effiziente Darleben des Hauptgebots. Nehmen Sie als Beispiel das Wirken Mutter Teresas von Kalkutta. Nicht ihre Theologie, sondern ihr christliches Handeln hat selbst die indischen Weisen zum Staunen gebracht und ihr die Aufmerksamkeit der gesamten Welt zugewendet. Und merkwürdigerweise hat sie dabei die schwierigen Probleme der Inkulturation gar nicht zu berühren gebraucht. Diese Probleme sind bekanntlich um so schwieriger, wenn das Christentum einer je höheren und besser ausgebildeten Kultur begegnet, der indischen zum Beispiel, deren philosophische Weisheit und deren Scharfsinn oft das christliche Philosophieren übersteigt. Aber ich will damit nicht andeuten, daß die Mission bei bestimmten afrikanischen Stämmen, die auch ihre geistigen Traditionen haben, vor denen man Ehrfurcht haben muß, oder bei den Indios oder Eskimos oder Papuas bedeutend leichter wäre. Das Beispiel Mutter Teresas sagt uns vielleicht, daß das lebendige Vorbild den besten Zugang bildet für die evangelische Botschaft. Andererseits ist das Phänomen Christi in seiner Einzigartigkeit an keine »Kultur« *gebunden*, auch nicht an die hellenistische des Mittelmeerraumes. Paulus hat das gewußt; die Germanen- und Slavenmissionare auch und ebenso der von Papst Gregor nach England entsandte Abt Augustinus. Natürlich bleibt Jesus der Erfüller des Alten Bundes, und dies für jede Kultur. Will man Jesus ohne das Alte Testament haben, oder ersetzt man diese seine Vorgeschichte durch die eigene (afrikanische oder asiatische) Kultur, so wird das Resultat den »Deutschen Christen« Hitlers gleichen.

GIBT ES CHRISTLICHE KULTUR?

Angelo Scola: Warum scheinen die Christen des Westens die Verbindung zwischen Glauben und Kultur als so problematisch zu empfinden? Kann man überhaupt von christlicher Kultur sprechen?

Hans Urs von Balthasar: Das müßte man zweifellos können. Nur sind wir in eine Form von Kultur eingetaucht, die man besser eine technische Zivilisation in ihrem Endstadium nennen müßte, worin der Mensch in Gefahr ist, durch die von ihm hergestellte Maschine überwältigt und entmenscht zu werden, da die Maschine, von der er sich Freiheit versprach, ihm gerade die Freiheit raubt. Unter Maschine ist hier nicht nur das »Gestell« gemeint, das Heidegger so bezeichnet, sondern auch die ganze pseudo-menschliche bürokratische Maschine, die Marx schon angeprangert hat. Wie nun den Menschen aus diesem selbstgebauten Gefängnis befreien, um eine authentisch christliche Kultur zu gewinnen? Wie ihn aus einem Apparat von weltweitem Ausmaß herauslösen, der sich beinah automatisch immer mehr selber vervollkommnet? Die Politik und die Wirtschaft, ineinander verfilzt, sind ein Räderwerk geworden, das anscheinend kein Einzelner mehr zum Stillstand bringen kann. Man fragt sich, ob die Befreiungstheologen sich hinreichend von den globalen

Dimensionen des Phänomens Rechenschaft geben. Im Vordergrund kann man sicherlich Menschen in »Unterdrücker« und »Unterdrückte« einteilen, aber sieht man auch, wie sehr die vordergründigen Unterdrücker hintergründig selbst Unterdrückte sind oder sein können, und daß es, von hier nach weiteren Unterdrückern suchend, sehr schwierig sein wird, den letzten Unterdrücker zu finden? Vielleicht sind schließlich alle – die dadurch keineswegs zu schuldlosen Lämmern gestempelt werden sollen – unterdrückende Unterdrückte.

Angelo Scola: Und wenn Sie in kurzen Worten eine Definition christlicher Kultur geben sollten?

Hans Urs von Balthasar: Ob das in kurzen Worten möglich ist, weiß ich nicht. Kultur ist ein sehr weitmaschiges Wort; man weiß, daß es ursprünglich Bebauung des Bodens besagt, mit der Genesis gesprochen: den Urwald Natur menschlich bewohnbar machen, ihm das Antlitz des Menschen aufprägen. Das mag in gewissen Kulturepochen einigermaßen gelungen sein; denken wir an die »*Georgica*« Vergils. Aber was können wir inmitten der vorhin geschilderten Unkultur der Maschine tun? Ich denke, versuchen, Inseln der Menschlichkeit zu bilden, wobei die Christen führend sein könnten und sollten; solches Tun kann ansteckend auf andere wirken und zu einer Askese, einem Verzicht auf die Überangebote der maschinell produzierenden Zivilisation anregen. Einfach um menschlicher zu werden. In den Ostländern, in denen das ganze

Leben zwanghaft bürokratisiert ist, werden Inseln der Freiheit unmittelbar erkannt und gesucht. »Wenn alles zugebaut scheint«, sagte mir ein in Erfurt lebender Freund, »muß man versuchen, in den Zwischenräumen zu leben.« Offenbar haben die Christen in der Apokalypse, obschon sie nicht das Zeichen des Tieres trugen, solche Zwischenräume gefunden oder geschaffen. Von derartigen Inseln aus kann, was wir in Wahrheit Kultur, christliche Kultur nennen dürfen, sich ausbreiten; viele Menschen hungern danach.

Angelo Scola: Johannes Paul II. wiederholt des öftern, wenn er sich an Katholiken wendet, daß ein Übergang zwischen Glauben und Kultur geschaffen werden muß, daß der Glaube eine Kultur erzeugen muß und aus einer neuen Kultur auch neue Lebensformen erwachsen können.

Hans Urs von Balthasar: Das muß in der Tat möglich sein, wenn wir auf den ursprünglichen Auftrag Gottes an den Menschen zurückblicken, denn Gott kann dem Menschen nichts Unmögliches aufgetragen haben. Wenn er zum Herrscher über die Tierwelt und zum Ordner der Natur eingesetzt ist, hat er die Fähigkeit zum Herrschen und Ordnen in sich selbst, sogar dann noch, wenn er durch Mißbrauch seiner Kräfte eine Ordnung geschaffen hat, die ihn seinen Erzeugnissen verknechtet, statt daß diese ihm als Knechte dienen. Das klingt sehr abstrakt, und vom Evangelium her erhalten wir keine konkreten Anweisungen für christliche Kultur. Dennoch liegen solche Anweisungen verborgen im Auftrag Christi, Zeugnis zu geben (und das bis hinein in die Form des Blutzeugnisses in der Apokalypse). Zeugnis sind auch die Haustafeln Pauli, der wunderbare Philemonbrief – jedes Wort darin ist christlicher Humanismus –; Zeugnis erfolgt auch, indem wir »alles tun, was wahr, was ehrbar, was gerecht, was rein, was liebenswert, was wohllautend ist« (Phil 4,8). Konsequent Christ sein heißt auch konsequent human sein, schon deswegen, weil keine Religion eine größere Ehrfurcht vor dem Mitmenschen und auch vor der Leiblichkeit fordert und gibt als diejenige des Menschgewordenen, Christi und seines Doppelgebotes.

Angelo Scola: Im dramatischen Rahmen unserer Gesellschaft, den Sie gezeichnet haben: Wofür soll der Christ sich einsetzen?

Hans Urs von Balthasar: Der Christ soll sich im ganzen Umfang der weltlichen Kultur einsetzen. Das sehen heute vor allem auch die Säkularinstitute, deren eines Adrienne von Speyr mit mir auszubilden begonnen hat, um auf allen Ebenen, in allen Schichten sich einzusetzen, wo ein christlicher Einsatz etwas, das in Unmenschlichkeit abzugleiten droht, zu vermenschlichen vermag.

Angelo Scola: Was soll der Christ in der Politik tun, welche Haltung soll er einnehmen? Manche sind der Meinung, im Politischen soll man eine »ethisch-professionelle Bildung zu Schau tragen«. Genügt das?

Hans Urs von Balthasar: Wir dürfen die Politik nicht einfach den Nichtchristen überlassen. Die Kirche ist in der Welt auch mit ihr konfrontiert – und keineswegs peripher –; sie muß ernstgenommen werden, auch wenn sie für die Christen eine schwere Bürde sein mag. Gewiß wird dafür eine berufliche Kompetenz vorausgesetzt, so wie jeder Arzt oder Jurist in seinem Fach kompetent zu sein hat. Dieser Gedanke beherrscht alle Säkularinstitute. Für alle weltlichen Berufe, auch für die Politik gilt: selbst wenn wir Nichtchristen die spezifisch christliche Ethik nicht aufzwingen können, müssen wir ihnen doch zeigen, daß ein Dasein in diesen Normen ein menschlich glaubwürdiges ist. Der gelebte Glaube ist es, der den Fachmann glaubwürdig macht, auch wenn er diesen Glauben nicht zu predigen braucht. Siehe die *»Wegmarken«* Dag Hammarskjölds.

Doch würde eine hinreichende Behandlung des dornigen Themas »Aufgabe und Lebensform eines christlichen Politikers« weit über das Format eines Interviews und vor allem meiner Kompetenzen hinausführen. Wie die Rücksicht auf das Gemeinwohl eines irdischen Staates, der zudem nur noch zu einem geringen Teil bewußt christlich ist, und die Rücksicht auf das persönliche Gewissen und Wissen des Politikers in Einklang gebracht werden können: sind dafür überhaupt von außen her allgemeine Normen angebbar, oder muß hier das lebendige Christenbewußtsein des Politikers von Fall zu Fall selbst in Freiheit entscheiden? Auch darüber, ob er seine Missionspflicht als Christ in einem Einzelfall nicht hinter andere, ihm dringlicher

oder opportuner scheinende Rücksichten zurückzu-
stellen hat, um ihr auf die Dauer wirksamer zu dienen,
kann wohl nur er selber entscheiden.

*Angelo Scola: So geht es letztlich um eine nicht zu um-
gehende missionarische Aufgabe jedes Christen. Wie aber
wird der wesentliche Kern des Christentums heutigen
Menschen nahegebracht?*

Hans Urs von Balthasar: Ich denke doch vor allem dadurch, daß man die Leute mit dem unverkürzten Evangelium konfrontiert, mit dem integralen Christus und nicht
bloß mit einem ausgesuchten Charisma. Eine andere
Antwort auf die wesentlichen Fragen der Menschen als
die christliche gibt es nicht. Wir finden immer wieder
zum gleichen Punkt zurück: die Menschen müssen die
Unvergleichlichkeit des Evangeliums mit allem, was
ihnen sonst noch in der Welt begegnen mag, erkennen.
In der ganzen Weltgeschichte gibt es nichts mit Jesus
Christus Analoges, und es wird auch nie etwas der-
artiges geben: einen Menschen, der ohne Überheblich-
keit mit der Autorität Gottes redet und handelt. »Man
hat euch gesagt, Ich aber sage euch.« Dieses Ich hat das
Gewicht der Stimme Jahwes. Und es geht nicht um
bloße Reden; Jesu ganze Existenz, sein Arbeiterleben,
seine Verkündigung, sein Tod, seine Auferstehung: alles
an ihm ist Auslegung Gottes. Sucht man sich einen
»historischen Jesus« aus seiner Ganzheit herauszuschälen,
so versteht man nichts mehr, wie ja auch die Jünger
vor Passion und Verklärung nichts verstanden haben.

Angelo Scola: Sie setzen also den Menschen Christus mit dem Wort Gottes gleich?

Hans Urs von Balthasar: Es gibt in der Heiligen Schrift keine Christusgestalt, die von den Sakramenten, vom Lehr- und Hirten-Amt und von der Überlieferung isolierbar wäre. Für viele besteht heute die Gefahr, daß sie Christus in lauter kleine Teile – etwa einzelne Logia – zerlegen und dann über diese oder jene Einzelheit meditieren, aber den Blick für das Ganze verlieren. Es gibt zum Beispiel Theologen, die die ungeheure apostolische Autorität eines Paulus nicht sehen wollen, sogar behaupten, er habe in den Gemeinden keinerlei Autorität gehabt, und solche Torheiten finden ein breites Leserpublikum. Es hätte damals in den Gemeinden noch kein Amt, keine Bischöfe gegeben. Als wäre das erforderlich gewesen, solange Paulus selbst der Bischof seiner Gemeinden war, mit Titus und Timotheus und andern als das, was man heute Weihbischöfe nennt. Wenn er einen von ihnen nach Korinth schickt, dann schärft er der Gemeinde ein: »Empfangt ihn, als wäre ich es selbst, mit der gleichen Ehrfurcht.« Paulus war sich seiner Autorität höchst bewußt. Und er hat seinerseits diejenige des Petrus anerkannt.

Angelo Scola: Als Sie über Christus sprachen, haben Sie zwei Worte verwendet, die mir auffielen: »Einzigartiges Phänomen«. Wie kann heute dieser Einzigkeit begegnet werden? Ich meine, es geht dabei nicht um ein privates Ereignis, als genüge es, für sich allein oder auch mit Hilfe eines kundigen Exegeten die Bibel zu lesen.

Hans Urs von Balthasar: Sicher. »Die« Schrift ist nicht in erster Linie »ein« Buch, sondern das Zeugnis vom Wort Gottes, das in Christus an uns ergangen ist. Aufgeschrieben wurde dieses Wort, damit wir etwas Sicheres hätten, woran wir uns halten können. Aber der Wille Christi ist nicht, daß wir ihn wie ein Buch lesen, er selber hat nichts geschrieben: »Meine Worte sind Geist und Leben.« Zur Zeit der Apostel und nach ihnen gab es noch gar kein »Neues Testament«. Sie verkündeten das Dasein Christi, und sie taten es mit ihrem eigenen Dasein. Paulus ist nicht überheblich, wenn er sagt: »Schaut auf mich, Christus lebt in mir, folgt Christus nach, so wie ich ihm nachfolge.« Und ferner: »Ihr habt das Wort angenommen als das, was es in Wirklichkeit ist: nicht das meine, sondern das Wort Christi.« Gottes Wort kann nicht einfach hergesagt werden, es verlangt das Lebenszeugnis eines modellhaften Christen, denn das Wort ist ja Fleisch geworden, und so muß man mit dem eigenen Fleisch zeigen, was das Wort ist.

Angelo Scola: Aber dieses lebendige Modell müßte eigentlich die Kirche sein.

Hans Urs von Balthasar: Ganz gewiß! Soweit sie Jesu Grundabsicht verwirklicht: missionarische Kirche zu sein.

DER ANTIRÖMISCHE KOMPLEX

Angelo Scola: Einer unserer gemeinsamen Freunde, P. Sicari OCD, hat mir vor kurzem zehn Seiten geschickt, um sie einem Buch mit dem Titel: »La Chiesa del Concilio. Studi e contributi« einzuverleiben. Das Institut ISTRA ist im Begriff es zu veröffentlichen. In diesem Buch, das auch Beiträge von Kardinal Ratzinger und von Ihnen enthält, vertritt Sicari eine eigentümliche These. Er verwendet das Werk Kardinal de Lubacs, »La postérité spirituelle de Joachim de Fiore« und behauptet, es wäre eine joachimitische Idee, wenn man die Kirche für die heutige Krise verantwortlich machen wollte.

Hans Urs von Balthasar: Ich finde das ausgezeichnet. Mein eigenes Buch *»Der Antirömische Affekt«* weist in die gleiche Richtung; ich müßte dieses Buch neu schreiben, aber weit aktueller, weil die antirömische Haltung vieler Katholikon sich in diesen letzten Jahren mächtig verstärkt hat. Fast jeden Tag stehen in der Zeitung heftige, ja gehässige Anklagen gegen den Papst, gegen Kardinal Ratzinger, gegen alles, was von Rom kommt. Man trampelt geradezu hysterisch auf ihnen herum (wie der Herr, der sich bemüßigt fühlte, drei Wochen vor dem Erscheinen der deutschen Übersetzung von Ratzingers Interview, dieses vorweg in der »Süddeutschen« in Grund und Boden zu stampfen), mit

affektgeladenen Angriffen (wie auch ein paar französische Bischöfe), mit Ingrimm (wie ein ganzes Heft der
New Blackfriars in England) – die Liste könnte beliebig
verlängert werden und würde, wenn man die persönlichen Äußerungen besonders des Klerus (die Schweiz
und Deutschland ständen hier wohl an erster Stelle)
hinzunähme, ins Endlose wachsen. Überall ist es der
antirömische Affekt, der sich Luft macht und letzten
Endes dahin drängt, über die objektiven Strukturen der
Kirche hinauszugelangen, genau wie Joachim es wollte,
ein frommer Abt und bezeichnenderweise jüdischer
Herkunft: er dachte eben futurisch-messianisch. Er, der
von mehreren Päpsten Belobigte, wollte keineswegs
die Kirche zerstören; die Heutigen aber, die sich gegen
Rom austoben, arbeiten, ob sie es beabsichtigen oder
nicht, an der Destruktion der Kirche. (Was Joachims
jüdische Herkunft angeht, so zeigte sich Kardinal de
Lubac in einem früheren Werk reservierter, im letzten
Buch redet er bestimmter. Man könnte die Tatsache fast
a priori erraten, wenn man Joachim liest: zum erstenmal strebt einer – ein Abt! – im Namen des Heiligen
Geistes die Überwindung der institutionellen Kirche
an, um zu einem rein geisthaften, von jeder Amtsfessel
befreiten Christentum zu gelangen. Er tat es bona fide,
die Heutigen aber, die sich alle natürlich auch Katholiken nennen, wollen die Kirche unterhöhlen, die sie
großgezogen hat, den Ast absägen, auf dem sie sitzen,
dank einem Traumbild von einer freien, demokratischen
Kirche, die nichts mehr vom liberal-protestantischen
Kirchenbild trennt.) Das antirömische Geschimpfe er-

folgt oft genug aus angeblich ökumenischem Geist. Ökumene hat für diesen katholischen Klerus oft zum Hauptinhalt die Abschaffung der Instanz, die Luther mit Nachdruck den Antichrist genannt hat, und von der nochmals Kardinal de Lubac nachgewiesen hat, daß sie durch alle Jahrhunderte hindurch Schutz der Freiheit für durch staatliche Übermacht bedrängte Bischöfe war – ist es übrigens nicht noch heute in vielen Ostländern so? Wie recht hat P. Sicari gehabt in seiner Einordnung des katholischen anti-institutionalistischen »Los von Rom«.

Angelo Scola: Aber hat heute, wo die Kirche in die unterschiedlichsten Kulturen – viele gar nicht europäischer Art – einwirkt, eine gewisse Selbständigkeit der Bischöfe und Bischofskonferenzen nicht doch auch ihre Berechtigung? Kann man von Rom aus alles so sachgemäß beurteilen, wie es an Ort und Stelle möglich ist? Muß ein gewisser Drang nach Selbständigkeit bei der Inkulturation der Kirche in andern Kontinenten so kritisch beurteilt werden, wie Sie es zu tun scheinen?

Hans Urs von Balthasar: Das Thema, das Sie aufwerfen, ist zu komplex, um hier eine befriedigende Antwort zu erhalten. Ich kann nur auf ein paar verstreute Aspekte hinweisen. Zunächst scheint mir der Wille Roms zur Internationalisierung oder Enteuropäisierung des Kardinalskollegiums, der Bischöfe, der Kurie selbst so evident, daß darüber kein Wort zu verlieren ist. Schon darin liegt die Absicht, der Kirche den multikulturalen

Charakter zu geben, den sie als Weltkirche haben muß. Auch über den Willen des Heiligen Stuhls, die Standpunkte und berechtigten Anliegen der verschiedenen Kulturen kennenzulernen und diesen Anliegen, soweit sie mit der Einheit der Kirche vereinbar sind, Raum zu gewähren, kann nicht der geringste Zweifel bestehen. Keiner ist hier ein aufmerksamerer Zuhörer als unser Papst. Die entsprechende andere Frage, ob die von Christus her unabdingbare Einheit seines Leibes in der Vielfalt der Glieder von den Vertretern der Einzelkulturen und der Partikularkirchen richtig gesehen wird, ist wohl weniger eindeutig zu beantworten.

Aber über die (untereinander übrigens höchst verschiedenen) Bischofskonferenzen und über das Verlangen einzelner Bischöfe nach mehr Bewegungsfreiheit ist etwas zu sagen. Fangen wir mit der Situation des einzelnen Bischofs an. Er erscheint heute mehr als je von unten wie von oben in seiner Entscheidungsfreiheit bedrohlich eingeengt. Die »Dezentralisierung« der römischen Kurie hat unmittelbar zu einer Kurialisierung der einzelnen Ordinariate geführt, der diözesane Apparat ist in manchen Ländern in einer nie dagewesenen Weise aufgebläht worden, jetzt ganz abgesehen von den seit dem Konzil hinzutretenden Pastoralräten auf allen Ebenen – der Diözese, des Dekanats, der Pfarrei. Diözesen in Deutschland haben jede in ihrem normalen Apparat zwischen hundert und fünfhundert Angestellte, ich würde, ohne eine Statistik gesehen zu haben, den Gesamtbestand kirchlicher Amtsstellen im Land auf mehrere Tausend schätzen, Stellen, die voll bezahlt werden müssen und deren Kosten vermutlich ein Mehrfaches der Kosten des ganzen Vatikanstaats ausmachen. Der Bischof ist durch die Notwendigkeit, für jede seiner Bewegungen, jeden seiner Entschlüsse die zuständigen Organe zu Rate zu ziehen, weitgehend geknebelt. Dazu kommen in wachsendem Maße die permanenten Büros der Bischofskonferenzen des ganzen Landes, die angeblich den Einzelbischöfen viel Arbeit abnehmen, aber zumeist Arbeit, die diese selber zu leisten hätten, Verantwortungen, die ihnen aufs bedauerlichste und für das Wohl der Kirche schmerzlichste entzogen werden, ob sie sie nun freiwillig und besten Glaubens abgegeben haben oder ob sie bei gemeinsamen Abstimmungen einfach überstimmt worden sind. Damit kommen wir auf die zweite Knebelung, die von oben durch die Bischofskonferenzen, zu sprechen. Es ist kein Geheimnis, daß einzelne Bischöfe, wenn man Gelegenheit hat, mit ihnen allein zu sprechen, erheblich anderer Meinung sind als die Beschlüsse der Bischofskonferenz, bei der sie entweder überstimmt werden oder ihre Meinung nicht zu äußern wagen. Man frage sich einmal, wie viele Einzelbischöfe in der gegen dreihundert Mitglieder zählenden Konferenz der Vereinigten Staaten eine ihrer dröhnenden Verlautbarungen erdacht, verfaßt und den übrigen vorgelegt haben – eine ganz geringe Zahl vermutlich –, Papiere, die von der Masse der übrigen (von denen, wie man hört, nur 2% einen theologischen Doktor haben) oft in gänzlicher Unkenntnis der Tragweite dessen, was sie mitunterschreiben, gebilligt wird. Ich möchte mit diesem Beispiel keine Regel aufgestellt haben, andere Konferenzen, ich denke etwa an CELAM, mögen unter recht verschiedenen Bedingungen arbeiten. Dennoch kommt mir eine Stelle in Erinnerung, die ich neulich im neuen Buch von Durrwell gelesen habe, und die ungefähr sagt: »L'Eglise n'est pas une collectivité, ses membres sont liés les uns aux autres par des liens personnels. Les activités de l'Eglise – les ministères – sont gérées par des personnes et non par des bureaux et des employés. L'aspect administratif, inévitable dans l'Eglise terrestre, doit sans cesse se convertir de la bureaucratie à la relation personnelle.«

Man muß das theologisch noch tiefer begründen. Sicherlich braucht es in der Kirche, wie eben gehört, die objektive Heiligkeit des Amtes (die vielleicht wichtigste Einsicht Augustins gegen die Donatisten), eines Amtes, das von niemand erfunden, sondern nur von Christus selbst den Aposteln und Petrus übermittelt worden sein kann, und das ganz und gar nicht vergleichbar ist mit den Amtsstellen im Staat. In der Kirche gibt es ausschließlich von Gott erfolgende konkrete Erwählung und Sendung ganz bestimmter Personen, denen eine Aufgabe anvertraut wird. Im Staat gibt es abstrakte Instanzen, die an sich unpersönlich sind; es gibt eine Präsidentschaft, ein Kanzleramt usf. Stirbt der Inhaber einer solchen Stelle, wird ein anderer nachgewählt, der dazu einigermaßen geeignet scheint. In der Kirche dagegen schenkt Gott (nach der Lehre Pauli) einzelnen Personen bestimmte Charismen, und Paulus scheut sich nicht, just die bleibenden amtlichen Charismen an die Spitze seiner Liste persönlicher Charismen zu stellen

(1 Kor 12,28). Nichts in der Kirche ist unpersönlich, abstrakt, auch wenn es durchaus nicht nur leitende, sondern auch unscheinbarere dienende Charismen gibt. Aber Christus hat in seiner Kirche keine Büros und Komitees eingesetzt; Büros können die zentralen Betrachtungen über die Wahl (elección) in den Exerzitien nicht machen, worin der je Einzelne von Gott zu erfahren sucht, mit welchem Charisma im lebendigen Christusleib Gott ihn begaben will. Aus diesem Grund haben Kardinal de Lubac in seinem Buch über die Einheit der Kirche und nach ihm Kardinal Ratzinger die genauen Grenzen angegeben, innerhalb derer Institutionen wie Bischofskonferenzen und andere oft sehr nützliche Einrichtungen im Rahmen der personalen Struktur der Kirche ihre Berechtigung haben. Hauptsache ist: Jeder Hirte in der Kirche hat seine persönliche Verantwortung, die er sich weder von unten noch von oben beschneiden lassen darf: »Habt acht *auf euch selbst* und auf die ganze Herde, in die euch der Heilige Geist zu Vorstehern gesetzt hat, die Gemeinde des Herrn zu weiden, die er sich durch sein eigenes Blut erworben hat (Apg 20,28).« Nichts in der Kirche ist unpersönlich und abstrakt, alles konkret persönlich.

Angelo Scola: Sie haben von Charismen gesprochen. Darüber wird heute viel geredet. Aber welchen Bezug hat Charisma zum Amt?

Hans Urs von Balthasar: Eben habe ich versucht, von Paulus her das Entscheidende zu sagen: Jedes bleibende

Amt ist ein Charisma, aber bei weitem nicht jedes Charisma ein bleibendes Amt. Früher haben wir von dem außergewöhnlichen Bewußtsein gesprochen, das Paulus von seiner amtlichen Autorität hatte; keinesfalls hätte er diese auf die Ebene der Heilungsgabe oder Glossolalie gestellt (von denen er übrigens behauptet, er besitze sie auch und besser als andere; er spricht ganz nebenbei von seinen in Korinth gewirkten Wundern). Gewiß: Timotheus soll sein Charisma lebendig bewahren, das ihm durch die Handauflegung für sein Amt verliehen wurde; ein kirchliches Amt wird nicht rein äußerlich, durch bloßen Beschluß des Bischofs verliehen, ohne daß gleichzeitig eine Berufung von Gott her erfolgt wäre; Karl Rahner hat dies einmal lichtvoll gezeigt. Aber das Amt im Vollsinn, das ohne Zweifel auf Christus zurückgeht, sehen wir schon im ersten Jahrhundert ganz klar und im heutigen Sinn funktionieren; Clemens von Rom, ohne Zweifel Bischof der Stadt (obschon das Zeugnis Irenäus' heute ohne jeden seriösen Grund in Frage gestellt wird), verlangt ausdrücklich Gehorsam (hypakoē) von den aufsässigen Korinthern, und wenige Jahre später ist nach dem Bischof und Charismatiker Ignatius die römische Kirche »Vorsitzerin der Liebe« und jede Ortskirche durch den Bischof und sein Presbyterium strukturiert. Und da er an alle Gemeinden schreibt, die er durchreist, wird man nicht sagen können, er verbreite hiermit nur ein antiochenisches Hobby. Der Heilige Geist, der den Leib Christi aufbaut, ist nun einmal sowohl objektiver wie subjektiver Geist; Amt und Charisma können in gewissen

Spannungen zueinander stehen, aber Gegensätze sind sie nicht. Ich verweise nochmals auf Augustinus, in dessen Leben und Wirken die Einheit der beiden »ungetrennten und unvermischten« Aspekte kirchlichen Daseins sichtbar sind.

Angelo Scola: Die Spannung zwischen Leben und Struktur steht zentral in den heutigen Diskussionen. Das Leben, sagt man, wird durch das überstark strukturierte Zentrum an die Peripherie gedrängt.

Hans Urs von Balthasar: Ich finde in diesen katholischen Diskussionen eine seltsame Blindheit angesichts der Tatsache, daß unser jetziger Papst – und viele Päpste des Jahrhunderts, aber der jetzt waltende vielleicht mehr als die andern – uns die echte Lebendigkeit vorführt, die das christlich gelebte Amt ausstrahlen muß. Er ist ein Mensch, der vom immerwährenden Gebet lebt und nicht von Veröffentlichung amtlicher Papiere. Selbst die Enzykliken, die er schreibt – denken Sie an *»Dives in misericordia«* –, tun nichts anderes, als christliche Lebendigkeit vorleben und anempfehlen. Ich muß gestehen, daß ich bei aller Bewunderung vor dem grandiosen Lebenswerk P. Congars immer ein leises Unbehagen gespürt habe, wenn ich bei ihm auf eine Entgegensetzung von Leben und Struktur oder Institution stieß. Ich selbst brauche immer wieder ein Bild: Im lebendigen Organismus des Menschen sind auch die Knochen lebendig, und sie sind unentbehrlich, damit der Mensch aufrecht stehen und die unendliche Fülle seiner freien

Bewegungen ausüben kann. Aber nochmals: Die Kirche ist als lebendige und amtliche ein einziger Leib, und jeder Versuch, ihre Lebendigkeit in die Partikularkirchen zu verlegen und dabei Rom als bloße Struktur zu verketzern, ist Selbstzerstörung der Catholica. Jede Form von Nationalismus und Gallikanismus ist ihr Tod. Und wenn schon von Verknöcherung in der Kirche gesprochen werden soll, so liegt sie eindeutig nicht in Rom, sondern an der sogenannten Peripherie: in der sturen Rechthaberei extremer Progressisten und extremer Traditionalisten. Wenn ich recht sehe, so sind es diese beiden Exzesse, die eine aufmerksame und kritische Jugend, welche eine lebendige Kirche mitaufbauen möchte, genau diagnostiziert hat und heute energisch ablehnt.

KIRCHE, CHARISMEN UND BEWEGUNGEN

Angelo Scola: Es gibt also Charismen, sagten Sie, die aber stets an eine konkrete Person gebunden sind.

Hans Urs von Balthasar: Genau. Und das gilt, wie gesagt, auch für das Amt. Aber dieses ist da, um die Charismen bei allen Gläubigen zu erwecken. Nach Paulus wird ein Charisma einem Einzelnen, aber nur zugunsten des Ganzen gegeben. Das gilt auch von den unscheinbarsten Charismen wie zum Beispiel der Gastfreundschaft.

Angelo Scola: Warum begegnen in einer Kirche, die sich demokratisch und pluralistisch will, neue Charismen so vielen Schwierigkeiten?

Hans Urs von Balthasar: Einmal war es in der Kirche immer so, wenn man etwa an die oft tragischen Lebensschicksale großer Gründergestalten denkt. Es gibt ein Beharrungsvermögen der Kirche, das sich ungern stören läßt. Ein bestes Beispiel dafür sind die heutigen Progressisten. Anderseits gibt es in dem, was Sie neue Charismen nennen, auch gewisse Schwächen und Entgleisungsgefahren. Dies wohl insbesondere bei gewissen kirchlichen »Bewegungen«, die eine starke Neigung haben, sich in sich selbst abzuschließen. Es gibt extreme

Beispiele, die ich gar nicht nennen will; es gibt andere, die als echt katholische, zum Ganzen der Kirche offene Bewegungen begonnen haben und sich langsam schließen, offenbar in der Meinung, sie seien sich selber katholisch genug. Beinah als eine Ausnahme könnte man *Comunione e Liberazione* nennen, einem – abgesehen von einzelnen Entgleisungen – guten Beispiel für eine offen bleibende Bewegung. Ich sage keineswegs, sie sei hierin die einzige, aber an ihr wird deutlich, wie eine katholische Bewegung für Kirche und Welt und nicht für sich selbst dazusein hat. Traditionalistische Opposition dagegen bestätigt nur diesen Satz. Doch besteht heute mehr als je die Gefahr, daß sich katholische Bewegungen unbewußt absolutsetzen: »Kommt zu uns, wir sind die wahre katholische Kirche!« Wenn Charismen immer personal sind, so können sie doch den Heiligen Geist der Kirche nie für sich in Anspruch nehmen: nur aus der Ganzheit der Kirche heraus verteilt der Geist seine Gaben. Isoliert man ein kirchliches Charisma, so wird es allmählich ideologisiert; man nimmt es entweder für das Ganze der Kirche, während es doch nur ein Beitrag an das Ganze ist, oder man verabsolutiert den Teil und hält ihn für den Inbegriff des Evangeliums. Man kann sich natürlich in der Nähe des Zentrums des Evangeliums ansiedeln und zum Beispiel einfach die Liebe auf sein Panier schreiben. Aber wie die Kirche, so muß auch diese charismatische Liebe *strukturiert* sein, um wahrhaft kirchlich zu bleiben, ansonst ist Gefahr, daß sie in etwas formlos Verschwommenes zerfließt. Andere Charismen definieren sich nach einem in der Offenbarung zentralen »Prinzip«, aber schon dieses Wort zeigt die Gefahr an, aus etwas Personenhaftem, zum Beispiel dem Heiligen Geist oder Maria, etwas Abstraktes, Begriffliches zu machen. Der Heilige Geist ist nur dort gegenwärtig, wo er mit Sicherheit zu Christus, ja zum Kreuz führt. Maria will keinesfalls zum Zentrum der Theologie gemacht werden, sie ist auch und gerade als Königin die niedrige Magd. Und wenn gewisse alte Orden heute ihre wahre »Identität« noch immer nicht wiedergefunden zu haben scheinen, dann müssen die neuen Bewegungen und Institute um so mehr sich allesamt in der Mitte der Kirche aufhalten, ihre eigene Mitte in die ihrige aufgehen lassen. Manche versuchen es wirklich, deshalb ist bei ihnen wenig von antirömischem Affekt zu spüren.

Angelo Scola: Aber ist Rom nicht das größte Hindernis für ein fruchtbares ökumenisches Gespräch?

Hans Urs von Balthasar: Das hat Paul VI. selber ausdrücklich gesagt. Das Schwierigste im Gespräch mit allen übrigen christlichen Denominationen bleibt das im Ersten Vatikanum endgültig Definierte. Aber seltsamerweise ist gerade das Papsttum die entscheidende Voraussetzung für die Möglichkeit eines Gesprächs. Wieso? Weil es in der katholischen Kirche und nur in ihr einen Punkt gibt, an dem man sich darüber orientieren kann, was überhaupt katholisch ist. Reden Sie mit einem protestantischen, anglikanischen, orthodoxen Partner, so haben sie unfehlbar immer nur eine

Person oder eine Gruppe vor sich, mit der sie sich allenfalls weitgehend verständigen können. Aber eine andere Gruppe der gleichen Konfession wird sogleich einwenden, daß der entscheidende Punkt woanders liegt. Die Versöhnung mit Athenagoras war eine großartige und ergreifende Episode, aber sie mußte angesichts des Widerspruchs anderer Vertreter der Orthodoxie episodisch bleiben. Einzig die Katholiken haben den Vorteil eines echten Beziehungspunktes, einer von Christus selbst gewollten Repräsentation der kirchlichen Einheit. Zerstören wir diesen, so zerstören wir nicht nur unsere Kirche, sondern auch die einzige Chance, daß Ökumene einmal zum Ziel kommen kann. Natürlich heißt das nicht, daß man den Papst über die Kirche erheben darf, wie das in unbegreiflicher und völlig untheologischer Weise eine Partei tut, die sich »Bewegung für Papst und Kirche« zu nennen wagt. Der Wagen vor das Pferd gespannt. Der richtige Name müßte lauten: »Bewegung zur Beurteilung von Papst und Kirche«.

Angelo Scola: Ein anderes wichtiges Problem: die Katechese. Wie sehen Sie deren Zukunft?

Hans Urs von Balthasar: Da ich nicht Katechet bin, kann ich hier wenig sagen. Zunächst ein allgemeiner Grundsatz: Der Erfolg einer Katechese hängt zum größten Teil von der Person ab, die sie erteilt. Vom glaubwürdigen Eindruck, den sie auf den oder die Zuhörer macht. Man kann hier die ernste und sehr weit führende Frage stellen, ob die Ausbildung späterer Katecheten an einer Universitätsfakultät mit der dort vorgetragenen Theologie die angemessenste Vorbereitung ist auf einen späteren katechetischen Unterricht in einer Pfarrei, sei es vor Kindern oder vor Erwachsenen. Doch sind die hier auftauchenden Fragen nach Ländern sehr verschieden. Aber ob Universität oder »Katholisches Institut« oder Seminar oder eigene Katechetenschule: es wird immer davon abhängen, wie zentral-evangelisch der Unterricht ist, der später weitervermittelt werden soll. Es wäre verheerend, wenn Dozenten, die aus verschiedenen Gründen (vielleicht auch Fragen ihrer Orthodoxie) nicht an einer Universitätsfakultät angekommen sind, für »gut genug« erfunden werden, künftige Religionslehrer katechetisch auszubilden.

Angelo Scola: Und wie steht es mit den Katechismen?

Hans Urs von Balthasar: Ich habe hier weniger als je irgendwelche Weisungen zu erteilen. Persönlich schiene es mir wertvoll, wenn von zentraler Stelle ein ganz einfaches Schema dessen vorgestellt würde, was in jedem katholischen Katechismus als unentbehrliches Minimum und gemäß richtiger *hierarchia veritatum* vorhanden sein müßte; jedes Land, jede Weltkultur könnte dann, unter Aufsicht der Bischöfe, diesem Schema die nötige Fülle und Konkretheit geben, die der Fassungskraft ihres Kirchengebietes angemessen wäre. Daß jeder beliebige Christ Katechismen nach seiner Phantasie und seinem Geschmack drucken lassen und sogar ohne bischöfliche Billigung verbreiten kann, halte ich für einen groben

Unfug. Das Grundschema müßte nicht nur einen dogmatischen Teil, sondern auch einen praktisch-sittlichen enthalten; der letztere müßte sowohl die erforderte Festigkeit und Klarheit wie die nötige Geschmeidigkeit besitzen, da nicht von jeder Kulturstufe hier etwas Starr-Identisches verlangt werden kann. Und wenn wir schon davon sprechen, daß katholische Christen die ihnen vom Evangelium Christi vorgezeichneten Weisungen sittlichen Verhaltens nicht als von allen Menschen zu befolgendes »Naturgesetz« ausgeben dürfen, so taucht hier, innerhalb der Katechismusfrage, die viel heiklere Frage auf, ob die gleichen Normen auf eifrige und laue, im Zentrum der Kirche und an ihren Rändern stehende Christen anwendbar sind.

Kein Katechismus wird die immer freie Entscheidungen fordernden Weisungen Christi in ein starres System pressen dürfen: »Der Buchstabe tötet.« Wir haben ein bedauerliches Beispiel dafür an der Kritik, die bezeichnenderweise ein Hauptvertreter der »Bewegung für Papst und Kirche« an dem von allen deutschen Bischofen gebilligten, in Rom von Vertretern mehrerer Kongregationen durchgearbeiteten und zum Teil korrigierten »Erwachsenenkatechismus«, redigiert von Walter Kasper, geübt hat. In einem dieser Blätter, die die kirchliche Unfehlbarkeit gepachtet zu haben scheinen, die wie Totenrichter im platonischen Mythos über die ganze Kirche zu Gericht sitzen und mit Vorliebe von Teufel und Hölle handeln und mit Mystik (wahrer und falscher kunterbunt) hausieren, ist zum

Beispiel (gegen die Autorität von Rom und der ganzen Deutschen Bischofskonferenz) zu lesen: dieser Katechismus stelle, »statt den Glauben zu stärken«, alles in Frage und habe »die Wege der überlieferten Theologie verlassen«. Warum? Weil die *regula proxima* des Glaubens »mehr in den lehramtlichen Aussagen der Päpste und Konzilien« liege, »dann erst kommt die Bibel«. So Herr XY, Pfarrer, Geistlicher Rat, Vorsitzender der »Bewegung für Papst und Kirche«. Es ist gut, daß uns so deutlich gesagt wird, an welchen Maßstäben diese Bewegung die christliche Offenbarung mißt.

Formulierungen von Konzilien sind nicht umzustoßen, aber ihre Aussagen können in neue Zusammenhänge gerückt werden; jedermann kennt das Beispiel von Ephesus und Chalkedon, und es gibt viele andere. Erst recht sind Enzykliken zwar maßgeblich, aber nicht unfehlbar. Man wird schwerlich leugnen können, daß ein so wohlfundierter, aber im Wortlaut nicht unfehlbarer Text wie »Humanae Vitae« ungewollt am Zusammenbruch der kirchlichen Beichtpraxis mitbeteiligt war. Ein kirchlicher Text ist um so authentischer, je näher er dem Kennzeichen des biblischen Wortes kommt, »Geist und Leben« zu sein und auch beides zu wecken. Vgl. Dogmatische Konstitution *»Dei Verbum«* Nr. 21.

Angelo Scola: Glauben Sie nicht, daß die Schwierigkeit, gute katechetische Texte bereitzustellen, ein Indiz unter andern dafür ist, wie schwierig die Beziehung zwischen Theologie und Lehramt bleibt?

Hans Urs von Balthasar: Man sollte die Schwierigkeit nicht übertreiben, die übrigens nach Ländern sehr verschieden groß sein kann. In den Vereinigten Staaten hatten sich die Fronten so verhärtet, daß Msgr. George Kelly seinem dicken und mit viel Engagement geschriebenen Buch den Titel »*The Battle for the American Church*« geben konnte. In Zusammenkünften zwischen Bischöfen und Theologen kam man kaum über den Punkt hinaus, an dem die letztern den Bischöfen sagten: Bis dahin reicht eure Kompetenz (etwa zu predigen), von dort an beginnt die unsere (denkend zu forschen). Mit dieser Theorie von »zwei Lehrämtern« war natürlich nicht weiterzukommen, man geriet immer wieder an denselben toten Punkt. Es war ein guter Gedanke des Sekretärs der Bischofskonferenz, daraufhin ein paar europäische Theologen zum Gespräch mit den Bischöfen einzuladen, welches Gespräch dann auch plötzlich erfreulich in Fluß kam. Eine lebendig aus der Bibel begründete Theologie fand interessierte Zuhörer unter den Bischöfen, und ein fruchtbares Gespräch erwies, daß der Theologe für die verkündende Kirche arbeitet, und daß das Amt für eine sinnvolle theologische Aufarbeitung von biblischen Grundfragen dankbar ist. In andern Ländern kann die Lage sehr verschieden sein. In Deutschland zum Beispiel, wo eine Anzahl der namhaftesten Theologen – in unserer Generation angefangen bei Kardinal Volk – zu Bischöfen ernannt worden ist.

Allgemein ist wohl zu sagen – und die Katecheten wie die Prediger sollten hier die nötige Unterscheidungsgabe haben –, daß die Ergebnisse besonders der exegetischen Forschung auf wesentlich verschiedenen Ebenen stehen können. Es gibt solche, die unbestreitbar und evident sind und mit der nötigen Vorsicht auch den Gläubigen, wo es nötig ist, vorgetragen werden können; sehr zahlreiche andere sind und bleiben wissenschaftliche Hypothesen, die auch mit der Abfolge der Exegetengenerationen wechseln, ja in ihr Gegenteil umschlagen können: von solchen dem einfachen Volk gegenüber in Katechese oder Predigt zu reden, ist unverantwortlich, obschon es bei exegetisch halbgebildeten Geistlichen immer wieder geschieht. Es kann nur Ärgernis erwecken und vielfach zum Abfall vom Glauben führen.

Angelo Scola: De Lubac hat in seinem langen Interview unter anderem gesagt, das Wortpaar »instauratio et progressio« könnte ein Motto sein für die kommende Bischofssynode.

Hans Urs von Balthasar: Instauratio oder wie auch gesagt worden ist, *restauratio* ist sicher ein Begriff, mit dem man sehr vorsichtig umgehen muß. Die beiden Worte können sich wohl nur auf Dinge beziehen, die vergangen sind. Wir aber sollten immer die je heutige Gegenwart Christi und seines Geistes in der Kirche im Auge haben. Es geht auch nicht darum, zweitausend Jahre zurückzugehen, um im Sinne Kierkegaards mit Christus »gleichzeitig« zu werden; seine Verheißung, alle Tage bis ans Ende der Zeit bei uns zu sein, versichert uns seiner Gleichzeitigkeit mit uns. Zumal wenn wir unsern Glauben lebendig halten. Freilich, dieser unser Glaube kann immer wieder instauriert, aus seinem Schlaf zur Wahrheit erweckt werden, um mit dem lebenden Christus lebendig zu sein, und dies in der Kirche. Auch sie ist angehalten, sich immerfort als Christi Leib ihm als ihrem Haupt gleichzugestalten.

Progressio? Wie kann einer »fortschreiten«, wenn er im End-Gültigen steht? Die Kirche ist eschatologisch, auch wenn sie noch in dieser Welt pilgert. Das Pleroma Christi als des Hauptes ist ihr, wie Paulus sagt (Eph 1,23) zu eigen gegeben, wodurch sie zu seinem und ihrem Vollalter heranwachsen kann (Eph 4,13). Dieses Wachstum innerhalb des der Kirche anvertrauten Pleromas kann nur bedeuten, daß die Christen sich der ihnen bereits gegebenen Fülle immer bewußter werden, vielleicht auch, daß sie Aspekte einer Fülle, die sie im Laufe der Jahrhunderte oder ihrer persönlichen Lebenszeit vergessen haben, neu realisieren. In dieser Hinsicht können die Katholiken – warum nicht? – auch vieles von Protestanten oder Orthodoxen, sogar von Moslems lernen, die manches frischer im Gedächtnis behalten haben und in ihrem Leben bekunden. Ferner hat *progressio* auch ihren guten Sinn, wenn es um Wachstum in der Heiligkeit geht. Aber hier geht es nur um die dauernde Bewegung, von der Paulus spricht, und keinesfalls um ein Messen, wie weit man es gebracht hat. »Ich sage nicht, daß ich das Ziel erreicht hätte, bereits vollkommen bin. Aber ich jage ihm nach, ob ich wohl ergreifen möge, weil ich von Christus Jesus schon ergriffen worden bin« (Phil 3,12). Heiligkeit wird in keiner Werkstatt hergestellt, die Heiligen sind Geschenke Gottes, und sie bleiben es dauernd; auch wenn Gott der Kirche neue Heilige schenkt – die früheren veralten darob nicht. Und keiner von ihnen hat sich selber je als heilig empfunden, sich selber kanonisiert; alle waren unterwegs, *in progressione*. Sogar die Mutter des Herrn. Nur in diesem Sinn soll der Christ, soll die Kirche fortschreiten. Aber in einem ganz andern Sinn als die Welt, die Geschichte, die Kultur und die Technik es tun.

Natürlich bleibt der Kirche die oft schwere Aufgabe, angesichts neuer weltlicher Probleme, seien sie durch die Weltwirtschaft, die Politik und besonders durch neue Möglichkeiten der Technik gestellt, der Offenbarung entsprechende Richtlinien aufzustellen. Diese können aber keinesfalls auf der Ebene der weltlichen Probleme selbst zu liegen kommen – sie würden sich sonst unfehlbar in eine vergängliche, überholbare Kasuistik verstricken –, sondern müssen sich auf jener geisthaften Höhe halten, von der her der Christ in seinem Gewissen auf eine angesichts der Forderungen Gottes in Christus verantwortbare freie Entscheidung angesprochen wird. Nur scheinbar entwickelt sich hier die christliche Lehre; was sich entwickelt, sind einzig die Weltprobleme (man denke an die Pille, die Genmanipulation, die Mittel totaler Kriegführung usf.), ihnen gegenüber kann das immer gleiche, weil unüberholbare Evangelium vor neue Fragen gestellt erscheinen, von neuem welthaftem Licht angeleuchtet werden; aber nicht das Wort Gottes verändert sich dadurch, auch wenn die Kirche aus ihm nicht fertige materiale Lösungen ableiten kann, sondern oft die Form und das Ausmaß der den Christen vorzulegenden Weisungen lange bedenken und um das im Heiligen Geist zu sagende Wort beten und ringen muß.

ÜBER GESCHLECHTLICHKEIT UND HOFFNUNG

Angelo Scola: Ich hatte mich ausführlich mit den Lehren unseres Heiligen Vaters über den Leib und die Liebe zu befassen. Im ersten Kurs, den ich darüber zu geben hatte, habe ich eine Theologie des Urstandes entwickelt, die derjenigen sehr verwandt ist, die Sie in Ihrem Buch »Christlicher Stand« entwickelt haben. Wie schätzen Sie diesen Aspekt des Lehramts des Heiligen Vaters ein?

Hans Urs von Balthasar: Man wird unterscheiden müssen zwischen der außergewöhnlichen Persönlichkeit unseres Papstes, der ein Philosoph und ein spiritueller Theologe ist, und dem *munus magisterii.* Wir könnten ja auch einen davon ganz verschiedenen Papst haben, der kein Philosoph wäre und auf ganz einfache Art die elementaren Dinge des Glaubens aussagte. Bis zu welchem Punkt bilden die persönliche Philosophie und Theologie des Heiligen Vaters Autorität für die Gesamtkirche? Ich denke, in seiner Lehre liegen vollkommen zentrale Sätze für das Verständnis unseres Glaubens: der Leib zum Beispiel, die Person, die Gemeinschaft, und ferner die wunderbaren Dinge, die er über die menschliche Arbeit oder über das göttliche Erbarmen (um nur weniges zu nennen) ausgeführt hat. Darin liegen Ausfaltungen, die direkt der Offenbarung entnommen und von jedem Glaubenden in Erwägung zu ziehen sind.

Nicht um aus seinen Enzykliken eine geschlossene Sonderlehre zu machen, sondern um mit seinen großen Intuitionen Ausgangspunkte für neues Nachdenken über die göttliche Offenbarung zu erhalten. Vor allem scheinen mir die Aussagen über den Leib von höchster Bedeutung, weil wir immer noch und immer neu von Formen des Platonismus und Spiritualismus umgeben sind, die stets meinen, man müsse das Leibliche hinter sich zurücklassen, alles Materielle übersteigen, um zu einer reinen Geistigkeit zu gelangen. Sozusagen alle Formen nichtchristlicher Meditation, die östlichen vor allem, zwingen den Meditierenden, alles leiblich Begrenzte, auch die Phantasie, auch die konkreten Begriffe hinter sich zu lassen. Und dies im krassen Gegensatz zur Menschwerdungslehre Gottes in Christus: alles Geisthafte Gottes soll inkarniert werden und es – bis hinein in die Auferstehung des Fleisches – auch bleiben.

Angelo Scola: Die Presse verschiedener Länder hat ein Interview des Nouvel Observateur mit Ihnen aufgegriffen, mit dem Sie unter anderem auch von der Sexualitat in der heutigen Gesellschaft sprachen. Können Sie das Wesentliche davon wiedergeben?

Hans Urs von Balthasar: Im Neuen Testament gibt es keinen Überstieg über die Leibsphäre. Aber in der Weise, wie der Mensch seine Leiblichkeit lebt, liegt, heute insbesonders, viel Unordnung. Wir Christen können, wie schon angedeutet, unsere diesbezüglichen

Normen einer atheistischen Welt nicht aufzwingen, aber wir können etwas darleben, was sich einer Reinheit des ganzen Menschen annähert. Dazu gehört ganz wesentlich die Leibsphäre: »*Verbum caro factum est*«. Von Christus her muß der ganze leibhaftige Mensch – und zum Leib gehört auch die Geschlechtlichkeit – in christliche Ordnung gebracht werden; das gilt für beide Lebensformen: Ehe wie Jungfräulichkeit. Die letztere soll, nach Jesus wie nach Paulus, ergriffen werden, wenn der Mensch es vermag. Aber sie besagt keinesfalls Entleiblichung, Flucht in den Geist. Sie ist vielmehr eine höhere Form der Inkarnation, eine Form, die sich noch enger als die Ehe an das Urbild des Verhältnisses zwischen Christus-Bräutigam und Kirche-Braut annähert.

Angelo Scola: Das wird der Gedanke einer »übergeschlechtlichen« Liebe zwischen Christus und Kirche sein, wovon Sie im zweiten Band der Theodramatik sprechen?

Hans Urs von Balthasar: Durchaus. Christus schenkt sein gesamtes menschliches Sein, somit auch seine ganze Leiblichkeit der Kirche in der Eucharistie. Natürlich steht das Geschlechtliche nicht im Zentrum seiner Ganzhingabe, aber es soll aus dieser auch nicht ausgeschlossen werden. Ist es doch ein integrierender Teil menschlicher Fruchtbarkeit, deshalb soll man von ihm nicht abstrahieren. So darf man christlich keine negative Askese entwickeln (wie die Essener oder die Buddhisten), vielmehr Christus all unser Leibliches zur Verfügung stellen, so wie er all sein Leibliches der Kirche übergibt. Gewiß liegt die Eucharistie auf einer höheren Ebene als die Ehe, die nach Paulus ein Nachbild der besagten Einheit zwischen Christus und der Kirche sein soll. Aber auch die Kirche ist eine leibhaftige Wirklichkeit, keine Abstraktion, auch kein bloßes Kollektiv (als »Volk«), auch keine bloße Summe von Einzelgliedern (»Teilkirchen«), sondern bereits in Maria eine wahrhaft organisch-körperliche Größe. Maria ist Mutter, sie erzeugt den Sohn Gottes aus ihrem eigenen Leib. Ihre Mütterlichkeit ist so grundlegend und unverlierbar, daß der gekreuzigte Sohn sie einerseits zur Mutter des Liebesjüngers und damit zur Mutter der Kirche, sie anderseits eben dadurch zu seiner Braut macht. Maria ist in beiderlei Hinsicht ein Mittelpunkt der Kirche. Diese wird als *immaculata* (Eph 5,27) bezeichnet: vollkommen ist sie das nur in Maria. Damit komme ich nochmals auf Gesagtes zurück: Die Kirche ist kein Abstraktum, nur reale, leibhaftige Personen nehmen an ihr teil, und sie sind um so mehr kirchlich – Origenes spricht von einer *anima ecclesiastica* –, als ihr persönlicher Auftrag, ihr Charisma sich in die Wirklichkeit der Gesamtkirche hinein ausdehnt: durch Gebet oder durch Leiden zum Beispiel. In einem Aufsatz, der den Titel trug *»Wer ist die Kirche?«* (und von dem P. Congar sagte, er verstehe ihn nicht) vertrat ich die Ansicht, daß die kirchliche Ausstrahlung einer Person so weit reicht wie ihre (durchgeführte) Sendung. So betrachtet durchstrahlt die Sendung Marias die Kirche im ganzen (das Bild des Schutzmantels drückt es symbolisch aus), und analog dazu haben andere Charismen ihre Ausstrahlung durch weite Räume der Kirche, man denke an Franz von Assisi, der nicht nur mit seiner Sendung alle von ihm lebenden Orden durchstrahlt, sondern darüber hinaus alle franziskanisch orientierten Seelen. Franz ist keine Idee, sondern eine Wirklichkeit.

Angelo Scola: Wenn Sie Ihr Büchlein »Glaubhaft ist nur Liebe« neuschreiben müßten, was würden Sie hinzufügen?

Hans Urs von Balthasar: Manches natürlich, verdeutlichend. Im wesentlichen wollte ich dort nur zeigen, daß es keine Wahrheit und keine Gerechtigkeit Gottes gibt außerhalb seiner Liebe. Die Vorstellung ist falsch, in Gott könnten seine »Eigenschaften« voneinander getrennt werden, solche Trennungen gibt es nur im kategorialen Bereich von Substanz und Akzidenzien, aber das Sein und erst recht Gott übersteigen diesen Bereich. Wie sich im Sein Eins, Wahr, Gut, Schön, die Transzendentalien untrennbar durchdringen, so erst recht in Gott seine »Eigenschaften«. Anselm hat das eingesehen, wenn er Güte oder Erbarmen einerseits und Gerechtigkeit Gottes anderseits von einer gemeinsamen Quelle ableitet, von Gottes *rectitudo:* alles, was Gott ist und tut, ist richtig. Der hl. Thomas geht noch einen Schritt weiter, wenn er erklärt, die gesamte Schöpfung verdanke sich einzig der reinen Güte Gottes, seine Gerechtigkeit komme (als Form seiner Güte) erst ins Spiel, nachdem die Welt einmal besteht. Denn einerseits muß Gott seiner Weisheit entsprechend alle Dinge auf die ihrem Wesen zukommende Weise gestalten (zum Beispiel dem Menschen, der arbeiten soll, Hände geben): diese Gerechtigkeit schuldet Gott seinem Geschöpf. Aber Thomas fügt sogleich bei: tiefer schuldet Gott solches Gerechtsein nur sich selbst gegenüber, also schließlich seiner grundlosen Güte, so daß kein Geschöpf auch nur den Schatten einer Forderung Gott gegenüber erheben kann (»Du schuldest es mir, mir dies und jenes zu geben«). Immer ist es die Güte Gottes, die mit Gerechtigkeit verteilt. Und Gottes Freiheit bekundet sich nach Thomas darin, daß er mehr gibt, als er aufgrund bloßer Gerechtigkeit geben müßte; Gottes Barmherzigkeit darin, daß er Mangel und Irrtum seiner Geschöpfe stets heilen kann. Im Alten wie im Neuen Bund wird dieses göttliche Erbarmen an die erste Stelle gestellt.

Angelo Scola: Es ist der Grundgedanke des »Seidenen Schuhs« von Claudel. Wissen Sie übrigens, daß darüber ein Film gedreht wurde, der sechs Stunden dauert?

Hans Urs von Balthasar: Nein. Aber ich sah in Paris eine Gesamtaufführung, die ebenfalls sechs Stunden dauerte und nach zahllosen Wiederholungen immer neu den riesigen Saal füllte. Die Hoffnung muß als eine theologische Tugend gesehen werden (*espérance* ist mehr als *espoir*), nämlich eine Erwartung, die auf Gott geht. *Espérance* auf irdisch zukünftige Dinge kann es nicht geben, höchstens *espoir*, Erwartung, daß die Dinge sich »hoffentlich« zum Guten gestalten werden, die Welt im ganzen vielleicht besser wird. Die Gleichsetzung der menschlichen mit der theologischen Hoffnung dürfte eine der Gefahren der Befreiungstheologie sein. Bonaventura nennt die theologische Hoffnung auf die göttlichen Güter unfehlbar, und man darf nach ihm sogar sagen, von Gott könne ich stets das Beste erhoffen, und ich werde es auch erhalten, wenn ich in der Hoffnung verharre. Verliere ich sie, dann verliert sie gleichzeitig ihre Unfehlbarkeit. Behalte ich sie, so werde ich das Erhoffte unfehlbar erhalten. So verheißt der Herr auch: »Alles, was ihr in meinem Namen erbittet (das heißt: in meiner Gesinnung), das wird euch zuteil werden.« Ja mehr noch: »Das habt ihr schon erhalten«, so Markus 11,24, und der Erste Johannesbrief: »Wenn wir wissen, daß Gott auf unsere Bitte hört, so wissen wir auch, daß wir das Erbetene bereits besitzen, es von ihm schon erhalten haben« (1 Joh 5,15).

Angelo Scola: In welche Beziehung setzen Sie die Hoffnung zum endgültigen Heil?

Hans Urs von Balthasar: Ich befinde mich gegenwärtig in einer Auseinandersetzung mit der »Rechten« in Deutschland, die mordicus darauf besteht, daß man nicht für das Heil aller Menschen hoffen darf, da völlige Gewißheit bestehe, daß manche verdammt würden. Eine solche Gewißheit scheint es mir nicht zu geben. Denn einmal hat die Kirche nie von einem Menschen das Verdammtsein ausgesagt, sodann gibt es manche Texte des Neuen Testaments, die in entgegengesetzte Richtung

weisen: »Gott will, daß alle Menschen selig werden.«
Und: »Wenn ich erhöht bin, werde ich alle an mich
ziehen.« Solcher Worte gibt es noch mehrere. So scheint
mir die Hoffnung für alle Menschen erlaubt, solange
ich damit dem freien Gericht des Herrn nicht vor-
greifen will, auch keine Theorie der »All-Erlösung«
vortrage. Aber der Gestus Christi auf dem Jüngsten
Gericht Michelangelos scheint mir theologisch nicht
angebracht.

*Angelo Scola: Werden Sie davon in Ihrer Theodramatik
handeln?*

Hans Urs von Balthasar: Anläßlich der Soteriologie, ja.
Man muß sich dort auch mit dem Hoffnungsbegriff
Moltmanns, Blochs und anderer auseinandersetzen.
Schließen möchte ich dann mit einer Eschatologie, die
als Letztes (*eschaton*) nicht das Schicksal des Menschen,
sondern die göttliche Trinität kennen wird. Das letzte
Ding ist nicht »mein« Tod, »mein« Gericht, sondern
Gott als der abschließende Horizont von allem. Das ist
übrigens abgeschlossen; nun geht es an den letzten Flügel
meines Triptychons: die Theologik.

Angelo Scola: Wovon soll diese handeln?

Hans Urs von Balthasar: Von der göttlichen Wahrheit.
Genauer, wie die immer trinitarische göttliche Wahrheit übersetzt werden kann in eine scheinbar duale
menschliche Wahrheit (entweder ist etwas wahr oder

falsch). Aber es gibt keine solche duale Logik, wie Hegel auf seine Art sehr wohl erkannt hat, auch wenn wir deswegen nicht Hegelianer zu werden brauchen. Christi Kreuz, der »spekulative Freitag« der hegelschen Dialektik, bleibt trotz allem abstrakt. Christus aber ist konkret. Auch die Familie ist konkret: Mann, Frau, Kind. Ich durchgehe die sich bietenden Abbilder der Trinität in der Schöpfung, um daraus eine Grundlage zu gewinnen dafür, wie Christus die göttliche trinitarische Botschaft in menschliche Sprache und Wirklichkeit übersetzen konnte, die selbst immer trinitarisch ist. Ich deute jetzt nur an, was sorgsam entfaltet werden muß.

Aber dann bleibt noch eine letzte Aufgabe der Logik. Das Wort Gottes spricht zuerst, dann leidet und stirbt es, um zuletzt aufzuerstehen. Erst diese drei Silben zusammen bilden das ganze Wort, das Gott uns in Christus zuspricht. Die erste Silbe allein konnte den Jüngern nicht verständlich sein; das Ganze wird erst verstehbar durch die Sendung des Heiligen Geistes in die Herzen. Es muß gezeigt werden, daß erst der Heilige Geist als die im menschgewordenen Sohn offenbarte Liebe des Vaters uns erklärt, was Gott ist. P. Ignace de la Potterie dürfte recht haben, wenn er nachweist, daß bei Johannes »Wahrheit« nichts anderes ist als die Darstellung der göttlichen Liebe des Vaters in der menschlichen Gestalt Christi. Vor dem Richter Pilatus sagt er: »Ich bin gekommen, um für die Wahrheit zu zeugen.« Was diese Wahrheit ist, kann Pilatus nicht ahnen, denn sie ist ein Wer. Er weiß nicht, daß der Vater die Welt so sehr liebt, daß er seinen einzigen Sohn für sie hingibt. Das ist der letzte Grund aller Wahrheit, und jede andere muß sich darauf beziehen lassen.

Angelo Scola: Eine weitere Frage betrifft das Werk, das Sie mit Adrienne von Speyr zusammen begonnen haben.

Hans Urs von Balthasar: Adrienne ist eine Welt. Sie hat nicht nur eine Weltgemeinschaft gegründet, sondern dieses Institut auf eine umfassende Theologie gegründet, die wesentlich von ihr stammt. Ich habe versucht, sie aufzugreifen und in den Raum einzubetten, den ich als die Theologie der Väter, des Mittelalters und der Moderne schon einigermaßen gekannt hatte. Mein Anteil an ihrer Theologie bestand vor allem darin, einen umfassenden theologischen Horizont bereitstellen zu können, um das Neue und Gültige ihrer Aussagen nicht zu verengen, zu verfälschen, sondern ihm den hinreichend weiten Platz einzuräumen, worin sie sich ausfalten kann. Mit einem bloßen Handbuchwissen wäre Adrienne von Speyrs Theologie nicht aufzufangen gewesen; es bedurfte einer Kenntnis der großen Tradition, um zu verstehen, daß das von ihr vorgetragene Originelle in keinem Widerspruch zu dieser Überlieferung steht. Der Heilige Geist kann plötzlich ein Licht auf Teile der Offenbarung werfen, die immer schon offen bereitlagen, aber nicht oder nicht hinreichend reflektiert worden sind. Die Geschichte der Kirche beweist das. Vor dem hl. Franz hatte niemand in dieser Tiefe über die Armut Christi und Gottes nachgedacht. Aber diese Armut ist nichts Sekundäres, sondern ein neuer

Zugang zur Mitte. Vor Augustinus hatten viele von der Liebe Gottes gesprochen, aber niemand in einer so aufwühlenden Weise wie er. Vor Ignatius hatte niemand den Gehorsam Christi an den Vater in einer so zentralen Weise begriffen wie er. Entsprechend finden sich bei Adrienne Dinge, die vor ihr niemand so ausdrücklich in der Offenbarung entdeckt hatte; aber hat man sie einmal durchdacht, so sieht man: es stimmt. Ein gutes Beispiel ist, was sie vom Gebet im dreieinigen Gott sagt. Gebet ist nicht nur, wie man immer gesagt hat, etwas, was vom Menschen zu Gott aufsteigt, sondern tiefer etwas, das von Gott zum Menschen absteigt, eine Teilnahme am innern Beten Gottes erlaubt. In Gott selbst liegen die Urbilder all unserer Gebetsweisen. Im trinitarischen Leben betet Gott Gott an, kann Gott Gott bitten; im Danken läßt sich erkennen, wie der eine Gott trinitarisch eine Wahl treffen, einen Entschluß fassen kann. Der Heilige Geist, der in unsere Herzen ausgegossen wird, der die Tiefen Gottes durchforscht, aber auch uns gegeben wird, hebt uns in den Raum des innergöttlichen Betens empor. Das ist nur ein Beispiel für vieles, was bei Adrienne zunächst erstaunt und dann, näher überlegt, beglückt. Ich denke, die Kirche wird mit der Zeit sich die wesentlichen Teile ihrer Lehre aneignen müssen und sich vielleicht wundern, daß diese schönen und bereichernden Dinge nicht schon früher erkannt worden sind. Aber der Heilige Geist verteilt seine Gaben, wann er will. Und es könnte sich zeigen, wie sehr Adriennes Einsichten eine Theologie gerade für unsere Zeit sind.

Angelo Scola: Die nächste Synode wird sich mit der Rolle der Laien in der Kirche befassen. Welches sind Ihre Gedanken darüber?

Hans Urs von Balthasar: Ja, mir scheint da einiges Wichtige zu sagen zu sein, das freilich bestimmte Länder stärker angeht als andere. Zunächst stelle ich mit wachsender Verwunderung fest, daß die Grundaussage von *Lumen Gentium*, daß nämlich »jeder in dem Stand bleiben soll, in den er berufen ist«, wie Paulus sagt (1 Kor 7,20), und dort nach der vollkommenen Heiligkeit und Liebe streben soll, vielfach vergessen wird. Woher käme sonst dieser Run der Laien in den Raum des Klerikalen hinein, ein Run von Männern wie von Frauen? Karl Rahner hätte alle diese Laientheologen und -theologinnen schlechtweg zum Klerus gezählt, was manchen von ihnen vielleicht nur lieb sein mag. Nun habe ich nichts dagegen einzuwenden, daß viele Christen sich etwas mehr von Gottes-Wissenschaft aneignen, als es üblicherweise der Fall ist oder war; dies ist vorzüglich, wenn sie dabei nur ihre wesentliche Funktion und Aufgabe als Laien nicht vergessen. Und daß einzelne es sich angelegen sein lassen, in einen – nach Rahner nun wirklich klerikalen – Dienst zu treten, ist ebenso verständlich und zulässig. Aber überblickt man das Gesamtphänomen, so stimmt dieses nachdenklich: auf der einen Seite steht die Menge von »Laientheologen«, die Einlaß in das klerikale Berufsfeld begehren, doch unter Bedingungen, die sie selbst festlegen möchten, die die amtliche Kirche aber nicht anzunehmen vermag; auf der andern Seite sind die nur von Laien zu versehenden Posten – für die Kirche allerwichtigste Posten! – weitgehend verwaist. Bei den ersten, die ungestüm an die klerikale Pforte klopfen und mit scheinbar unwiderleglichen Argumenten sie aufbrechen möchten (»man wird uns schon noch brauchen«), eine begreifliche Verbitterung, wenn ihrem Drängen nicht Folge geleistet wird (nicht nur antirömischer, sondern antiklerikaler Affekt bei diesen ins Klerikale Eindrängenden) – und auf der andern Seite die Quasi-Unmöglichkeit, heute tüchtige junge katholische Journalisten, Schriftsteller, Verleger, Vertreter vieler anderer weltlicher Berufe, die ich nicht alle aufzählen kann, zu finden. Gewiß finden manche Laientheologen, die anderswo nicht ankommen, an solchen Stellen Unterschlupf, aber ob sie damit ihr eigentliches Berufsziel erreichen, ist fraglich, wie ja auch fraglich bleibt, ob nicht manche von ihnen eigentlich doch hätten Priester werden sollen, wie die Kirche in ihrer Weisheit sie wünscht.

Ich weiß, lieber und verehrter Freund, daß es in Ihrem Land ganz anders steht als in dem unsrigen, aber ich kann nicht umhin, einem neuen Erstaunen Ausdruck zu geben, wenn ich auf Ihre italienische Situation blicke. Wenn nicht alles täuscht, so sind es bei Ihnen die Mitglieder kirchlicher Bewegungen, die sich in den echt weltlichen Berufen besonders hervortun. Sie sind es, die so erstaunliche Dinge hervorgebracht haben, wie die von Ihrer Bewegung getragene Wochen- und Monatsschrift, wie der von Ihnen getragene Verlag, das

»Institut für vermittelnde Studien« und weiß Gott was sonst noch alles, was Ihrer christlichen schöpferischen Phantasie entsprungen ist und verwirklicht wurde. Alles das fehlt bei uns, wo eine Inflation an Laientheologen das Feld beherrscht. Man muß aber wohl hinzufügen, daß es einer sozusagen »kollektiven Phantasie«, wie sie in Ihrer Bewegung herrscht, bedurft hat, um die Notwendigkeit dieser diversen Projekte nicht nur zu entdecken, sondern auch gemeinsam zu realisieren. Wo ein solches gemeinsames Denken und Planen fehlt, bleibt es wohl zwangsläufig bei Sehnsüchten nach Dingen, die für den Einzelnen nicht verwirklichbar scheinen. Wenn dann in solchen Vereinigungen von Laien einzelne auf den Gedanken kommen, sie möchten ihr Leben Gott inniger weihen, indem sie arm, jungfräulich und gehorsam leben, so ist das kirchlich ihr gutes Recht, wie es jedem Christen zusteht und seinen Laienstand nicht verändert, sowenig es den Stand eines Weltpriesters ändert, wenn er die evangelischen Räte befolgt.

Angelo Scola: Sie kennen eine große Anzahl junger Priester. Was denken Sie von ihnen?

Hans Urs von Balthasar: Die ich näher kenne, können sehr verschieden geartet sein, aber eins ist, glaube ich, ihnen allen gemeinsam: sie möchten die ganze, unverkürzte und ungeschminkte Offenbarung Gottes, wie sie uns in Jesus Christus geschenkt worden ist, um sie zu leben und weiter zu verkünden, auch in ihrer Ausbildung zu hören bekommen, denn sie allein erscheint ihnen glaubhaft, lebbar und verkündbar. Negativ ausgedrückt: sie möchten eine Theologie kennenlernen, in der Dinge, die sie nicht mit ins Gebet nehmen können, auch nicht wert sind, gedacht und erst recht nicht gepredigt zu werden. Damit haben sie ein gutes Kriterium gefunden, was Theologie in Wahrheit ist, ohne einem moralisierenden oder gar politisierenden Pragmatismus zu verfallen. Theologien, die im Jahr 1968 und danach als »dernier cri« der Modernität erfunden worden sind, interessieren sie nicht mehr. Ebensowenig natürlich ein sturer Konservatismus; denn für sie ist die Offenbarung heute in der Kirche lebendig, weil sie von Anfang an die Sprache und das Geschenk des lebendigen Gottes war, und kein Museum von erstarrten Formeln. »Die Wahrheit wird euch frei machen«, sagt der Herr. Er selbst und seine Apostel haben sich keiner langen Erwägung hingegeben, was wohl die geneigten Hörer gern hören oder überhaupt auffassen könnten. »Lehrt sie alles halten, was ich euch gesagt habe«, nicht bloß das, was ihr ihrem Kaptus entsprechend für tragbar haltet. Solches könnte für sie zwar tragbar sein, aber es wird aufgrund seiner Auswahl der Glaubwürdigkeit entbehren. Nur wenn dem Körper der Offenbarung kein Glied fehlt, ist er heil. Dann bedarf er aber auch keiner künstlichen Prothesen; seine Ganzheit spricht für sich selbst. Verstehen Sie nun, daß eine gesunde junge Generation von werdenden Priestern nichts anderes kennen zu lernen wünscht als das, was die Pastoralbriefe in einem fort die *doctrina sana*, die »gesunde Lehre« nennen?